Nós quatro e o AMOR

Universo dos Livros Editora Ltda.
Rua do Bosque, 1589 – Bloco 2 – Conj. 603/606
CEP 01136-001 – Barra Funda – São Paulo/SP
Telefone/Fax: (11) 3392-3336
www.universodoslivros.com.br
e-mail: editor@universodoslivros.com.br
Siga-nos no Twitter: @univdoslivros

FABIANE RIBEIRO

Nós quatro e o AMOR

São Paulo
2016

UNIVERSO DOS LIVROS

© 2015 by Universo dos Livros
Todos os direitos reservados e protegidos pela Lei 9.610 de 19/02/1998.

Nenhuma parte deste livro, sem autorização prévia por escrito da editora, poderá ser reproduzida ou transmitida sejam quais forem os meios empregados: eletrônicos, mecânicos, fotográficos, gravação ou quaisquer outros.

Diretor editorial: **Luis Matos**
Editora-chefe: **Marcia Batista**
Assistentes editoriais: **Aline Graça e Letícia Nakamura**
Revisão: **Alexander Barutti e Rinaldo Milesi**
Arte: **Francine C. Silva e Valdinei Gomes**
Diagramação: **Sharlene Dantas**
Capa: **Rebecca Barboza**

Dados Internacionais de Catalogação na Publicação (CIP)
Angélica Ilacqua CRB-8/7057

R369n

    Ribeiro, Fabiane

    Nós 4 e o amor / Fabiane Ribeiro. - São Paulo : Universo dos Livros, 2016.

    304 p.

    ISBN 978-85-7930-994-6

    1. Literatura brasileira 2. Romance 3. Amizade I. Título

16-0450   CDD B869

Índices para catálogo sistemático:
1. Literatura brasileira

Este livro é para meus amigos. Todos eles.

Para aqueles com os quais perdi contato e para aqueles que passaram por minha vida rapidamente; para aqueles que continuam presentes e que dividem comigo momentos especiais e para os que estão próximos fisicamente; para os que estão distantes, mas sempre presentes de alguma forma; para os da infância e os da faculdade; para aqueles que conheci em minhas viagens (e que vêm de todos os cantos do mundo, falam diversos idiomas e tornam tudo inesquecível); para os que me vêm à mente neste instante; e para aqueles dos quais já me esqueci.

Todos eles, sem dúvidas, ao dividirem comigo horas ou anos, deixaram alguma marca que talvez eu nunca consiga compreender. Mas posso afirmar que foi graças a eles que entendi que a amizade é uma relação complexa e intensa, delicadamente construída e que tem como base as escolhas que fazemos a respeito de quem queremos ao nosso lado para trilhar a jornada. E foi também graças a cada uma das pessoas que já dividiu um sorriso ou uma lágrima comigo que entendi que amizade não é quantidade – nem de pessoas, nem de tempo que se passa junto. Amizade é, na verdade, um tipo de amor e carrega consigo sofrimento e ternura.

Talvez, sem saber, inspirei-me em várias pessoas ao mesmo tempo para compor os quatro personagens desta história, que irão dividir uma jornada instável e assustadora acerca das escolhas que fizeram a respeito do amor e da amizade assim que descobriram como um não existe sem o outro.

"A rosa da profunda amizade não se colhe sem ferir a mão em muitos espinhos da contradição. No abnegar é que está o vencer de muitas resistências invencíveis ao império da vontade."

Camilo Castelo Branco

1
Patrícia

— Que os nossos sejam nossos.

— Que os delas sejam nossos. — Ouvi entre uma risada abafada que conhecia tão bem.

— E que os nossos nunca sejam delas — completei, ajeitando o chapéu dourado em minha cabeça.

Laura soltou uma nova gargalhada enquanto levantava seu copo para nosso tradicional brinde das solteiras. Imitei-a, e em seguida conduzi meu próprio copo até os lábios, permitindo que o álcool me invadisse e dominasse meus instintos.

Sentira falta daquilo. De tudo.

Não que eu não tivesse ingerido bebidas alcoólicas ou me divertido nos últimos dois anos, mas a sensação era outra quando estava na presença de Laura. Tínhamos nossos rituais, nossos trejeitos e piadas internas que ninguém mais podia compreender. Ela era minha melhor amiga desde... Bem, desde que eu podia lembrar. Não apenas minha melhor amiga, mas minha única amiga de verdade.

Mais cedo, ela me buscara no aeroporto em seu fusca azul, que, devido aos barulhos do escapamento, sempre fazia com que todos os olhares se voltassem para nós.

Eu sentira falta disso também: dos pequenos detalhes que faziam minha vida mais feliz quando eu estava com minha amiga e com nossas manias. Era como se assim eu fosse livre, como se pudesse ser quem eu realmente era, sem medo algum.

Como era bom estar de volta.

O lago à nossa frente refletia a lua cheia e a brisa da noite gelada espantava os temores enquanto a bebida trazia conforto. Sons de palavras entrecortadas chegavam aos nossos ouvidos. Fossem juras de amor, fossem brigas discretas, aquele lugar era repleto de casais e grupos de amigos. Um lago, bem no meio da cidade, onde era possível sentar-se na grama e observar o céu. Era quase um paraíso em meio ao caos.

Os melhores lugares estavam sempre ocupados, mas isso nunca nos incomodou. Laura e eu sempre conseguíamos encontrar um canto qualquer para sentar, tirar os sapatos e conversar enquanto molhávamos os pés na água e nos afogávamos em nossas bebidas e fofocas. Prefiro os vinhos, já minha amiga é fã da boa e velha vodca. Temos em comum o gosto pela tequila e por outras coisinhas mais.

Mal sabia ela as novas receitas – de bebidas e comidas – que eu aprendera nos últimos vinte e quatro meses e que não via a hora de compartilhar.

– Senti falta deste lugar – murmurei.

– Não comece com o sentimentalismo – respondeu Laura, levantando-se. – Venha, vamos entrar no Beira-Mar, é hora da rodada de tequila e do momento em que você me conta absolutamente tudo sobre os sortudos que cruzaram seu caminho nessa viagem.

Rindo, eu a segui. O Beira-Mar era um dos pubs que ficava ao redor do lago. Apesar de não haver sal ou ondas naquelas águas, sempre achei o nome do estabelecimento divertido. Os pubs eram garantia de boa música no local e, apesar de serem numerosos ao redor daquele pequeno refúgio cravado no meio da cidade, o Beira-Mar era o único que frequentávamos. Tínhamos a tendência de criar manias e neuras, ou mesmo rituais, se preferir. A rodada de tequila em nosso pub preferido era a cerimônia perfeita para celebrar minha volta para casa.

Escolhemos uma mesa no segundo andar, de onde se tinha uma vista privilegiada das águas e do céu noturno e, o mais importante, de todos que chegavam ao local. Uma de nossas maiores diversões era analisar os rapazes da noite. Confesso, sou do tipo que muito fala e pouco faz, exatamente o oposto da minha amiga. No entanto, isso não importava, pois as análises eram sempre garantia de muitas risadas.

O ambiente descontraído do pub e a decoração rústica eram o toque final para que aquela noite fosse da maneira como eu havia imaginado nos últimos meses e, quando as tequilas chegaram, não poderiam ter nos encontrado em um humor melhor.

Laura e eu ríamos descontraidamente, não nos importando com os olhares daqueles que nos rodeavam.

Eu estava de volta à América do Norte! Estava em casa! Aquele era o momento de celebrar. A celebração ficava ainda mais animada com as narrativas malucas de tudo o que vi e vivi em minha viagem. Por alguns breves e surreais instantes, senti-me como uma imigrante em meu próprio país. Confesso ter forçado um falso sotaque para tentar impressionar Laura e, principalmente, os rapazes que nos olhavam, admirados com tantas risadas espontâneas.

– Mais uma rodada de tequila, garçom!

E foi justamente quando o atendente nos deu as costas, rumo a satisfazer nosso novo pedido, que eu *os* vi.

Era verdade que todas as pessoas presentes no segundo andar do Beira-Mar já haviam lançado algum tipo de olhar para nós. Entretanto, perdidos em sua embriaguez, deixaram de nos fitar em algum momento. Exceto dois rapazes em uma mesa do outro lado do salão.

Seus olhares eram confusos e penetrantes e pareciam ter trocado um comentário entre si. Eu adoraria saber do que estavam falando!

– Ei, acorde! – Vi quando a mão de Laura me chacoalhou na tentativa de trazer-me de volta à nossa conversa. – Para onde você está olhando?

Seguindo meu olhar, ela se virou e observou os dois rapazes.

Instantes depois, o garçom aproximou-se de nossa mesa com quatro doses de tequila – o dobro do que havíamos pedido –, e disse que elas não seriam cobradas, pois eram uma gentileza de dois admiradores. Não precisamos questioná-lo, pois sabíamos quem as enviara.

Soltei uma risada nervosa, ao mesmo tempo que vi de soslaio quando Laura acenou para os rapazes, convidando-os a se juntarem a nós.

— E qual é a ocasião especial? — O rapaz que se apresentara como Matthew perguntou-me com olhar sedutor.

Tudo nele era sedutor, na verdade. Os cabelos loiros penteados para trás combinavam com a barba rala e malfeita que, por sua vez, destacava ainda mais a pele branca e os olhos verdes. Matthew era o típico jovem por quem você se apaixona à primeira vista.

Suspirei profundamente e respondi:

— Ocasião especial?

— Sim. Quero dizer... Reparei que não foi a primeira rodada de tequila que pediram, portanto, creio que haja uma ocasião especial. Estou errado? — ele acrescentou com um sarcasmo que me percorreu a espinha.

Enrubesci ao atirar com ousadia meu olhar dentro do seu:

— Não. E sim.

Ele riu com força, claramente sem saber o que eu estava tentando dizer. Mordi os lábios e corrigi-me:

— *Não*, você não está errado. E *sim*, há uma ocasião especial. Acabei de retornar ao país, após dois anos morando fora.

— Onde você esteve?

— No Brasil.

Ao ouvir aquela palavra, o segundo rapaz, que mantinha uma conversa animada com Laura, virou-se em minha direção, dizendo:
— Sério? Temos muito em comum. Eu sou colombiano.

Soltei uma exclamação animada:
— Eu gostaria de ter aproveitado melhor o meu tempo e conhecido toda a América do Sul! Pena que não tive muito tempo para passear.
— Por dois anos? O que você esteve fazendo?

Por um breve instante, antes de responder àquela pergunta, analisei o rapaz latino que, mais cedo, quando chegara à nossa mesa, apresentara-se como Diego. Eu adoraria que ele e Matthew não estivessem ali por um instante, para que eu e Laura pudéssemos fazer nossas análises completas sobre seus visuais. Estivéramos tão ocupadas com minha narrativa sobre a viagem, que não pudemos analisá-los antes de conhecê-los, o que teria tornado aquela aproximação muito mais divertida. Além disso, a análise poderia deixar claro quem tinha interesse em quem. Ambos eram muito bonitos.

A pele bronzeada de Diego e seus vastos cabelos negros eram uma das muitas iguarias que eu apreciara nos últimos dois anos na América do Sul.

— Fiz o meu mestrado lá — limitei-me a dizer. E, embora aquela não fosse a explicação completa, representava uma grande parcela da verdade.

— Conheço o Brasil — disse ele. Seu sotaque era simplesmente uma graça. — Na verdade, conheço quase o mundo todo, já viajei muito. Em que cidade brasileira você morou?

— Curitiba.

— Interessante. Alguma razão especial para a escolha da cidade? Digo, além das ótimas universidades que há por lá.

— Talvez — respondi constrangida. Levei a mão à cabeça e toquei o chapéu, instintivamente, sem razão alguma. Diego parecia ler minha mente com aquelas perguntas. Eu não queria dar detalhes sobre a minha vida para alguém que acabara de conhecer. Ainda mais porque ele estava começando a entrar em um assunto delicado. Era hora de mudar o foco da mesa.

– Há quanto tempo você está nos Estados Unidos?

– Cinco anos – Diego disse. – Sou dançarino profissional. Vim para cá por causa de um contrato com uma grande companhia de dança.

Eu sabia o que aquela confissão iria gerar. Estava claro que Laura e o rapaz ainda não haviam conversado sobre profissões. Ela era artista plástica, completamente apaixonada por qualquer tipo de arte – e artista.

– Hum... Uau! Um dançarino latino legítimo! – Ouvi Laura dizer. Abafei uma risada.

Logo, ela e Diego estavam entretidos em uma nova conversa a dois. Se as preferências não haviam ficado claras a princípio, agora estavam evidentes.

Ainda rindo pela falta de discrição de minha amiga, Matthew virou-se para mim e perguntou:

– Qual é a sua formação?

– Odontologia – respondi.

– Sou formado em biotecnologia – ele acrescentou –, e concluí meu mestrado também, mas há mais de um ano. Hoje trabalho no laboratório da faculdade.

– Também irei trabalhar com pesquisa. Mas não pretendo abrir mão do consultório, já que as consultas são minha verdadeira paixão, então pretendo dividir meu tempo entre as duas coisas.

Aparentemente os cupidos da arte e da ciência estavam de plantão naquela noite. A química instantânea criada entre Laura e Diego também era observada entre mim e Matthew. Mas, acima de tudo, *nós quatro* nos conectamos e nos divertimos muito, cada vez mais desinibidos conforme as novas doses de tequila chegavam à mesa.

A certa altura da noite, o Beira-Mar começava a esvaziar, assim como já era reduzido o número de pessoas ao redor do lago. Os garçons pareciam um pouco cansados e as vozes do salão ficavam cada vez mais elevadas à medida que os copos sobre as mesas se tornavam mais e mais vazios.

Eu amava a vida noturna e seus mistérios. Eu mesma tinha meus mistérios, camuflados pelas nuvens tempestuosas que meus olhos carregavam, tentando passar a imagem de uma noite limpa e enluarada, quando, na verdade, as nuvens pairavam escondidas dentro de mim.

Todos têm segredos.

Quando a lua do céu parecia dar os primeiros sinais de volta para casa e chegou aquele momento em que o rumo da noite se definiria, Diego notou meu colar. Eu nunca o tirava do pescoço, mas, nas ocasiões em que conhecia pessoas novas, costumava escondê-lo sob a blusa, para evitar perguntas. O decote não estava a meu favor naquela noite.

– Uma bandeira do Brasil! Que belo pingente! – ele exclamou, tocando-o. – E o que é esse outro? – A tequila parecia atrapalhar um pouco a nitidez com que Diego fitava o segundo pingente. Era muito claro o seu significado. – Uma garotinha? – indagou, por fim. – Interessante... Você parece ter gostado muito da sua viagem, para carregar a bandeira do país assim no peito. Mas o que a garotinha quer dizer exatamente?

Laura lançou-me um olhar furtivo, enquanto alisava os próprios cabelos. Eles estavam agora vermelhos, com grossas mechas negras, e caíam até a altura de seus ombros pálidos e magros. Ela mudava a cor dos fios praticamente todos os meses, ou a cada mudança brusca em seu humor. Eu sentira falta disso também, de sempre ter a cor de seus cabelos me surpreendendo, assim como sentira falta de que ela mesma pintasse e cortasse os meus. Eram sempre momentos divertidos e apenas nossos.

Seus olhos azuis haviam testemunhado muito de meu passado e seriam capazes de revelar detalhes da minha vida. Ela sabia exatamente o que me deixava incomodada.

Então, escondendo uma mecha de cabelo atrás da orelha, pigarreou e interrompeu nossa conversa:

– Se vamos falar de segredos, temos que pedir mais uma dose. Verdade ou Desafio é sempre interessante a essa hora da noite.

3

Laura

— Eu o desafio a fazer o seguinte: assim que o próximo garçom subir as escadas, você deve dirigir-se até ele, pegar sua bandeja, perguntar para qual mesa é o pedido e levá-lo.

Diego era *muito* criativo.

Toda vez que alguém pedia Desafio, simplesmente tinha que ser ele o desafiante. Ninguém na mesa tinha o mesmo senso de humor que Diego.

Costumo ser exagerada e completamente desinibida. E, como artista, confesso sem modéstia que minha criatividade é infinita. Mas, para aquele jogo, após tantas tequilas, eu simplesmente não conseguia pensar em nenhum desafio inteligente como Diego pensara. O cara era demais.

Tive que dialogar rapidamente comigo mesma:

— Não seja besta, Laura, você deve deixar claro que gostou dele, mas não precisa lamber o chão em que ele pisa.

Dei um tapa em minha própria testa.

Notei que Patrícia reparou em meu gesto repentino. Ela percebera que eu estava em mais um dos meus diálogos interiores – e aquele era um estado emergencial. Sendo assim, lançou-me um de seus breves sorrisos contidos. Eu adorava que, por trás daquela mulher forte e decidida, ainda vivia uma pequena parcela da minha amiga recatada do colégio.

Sempre me faltaram palavras para expressar meus sentimentos e aprendi a traduzir tudo em arte. Mas o fato de estarmos ali, juntas, em mais um daqueles momentos que estariam em nossas melhores memórias, era meu jeito de dizer: senti sua falta, nunca mais ouse se afastar de mim por tanto tempo.

Sorte que os rapazes ainda gargalhavam com o desafio que Diego propusera a Matthew e, assim, não notaram os olhares indiscretos que eu lançava ao primeiro.

– Desafio aceito. – Resignou-se o desafiado, alisando o copo de tequila.

As regras eram simples: se você pedisse Verdade e não quisesse responder, tinha que beber; se pedisse Desafio, e não quisesse atender, também tinha que virar o copo. Ou seja, todas as opções eram divertidas, mas confesso que eu estava muito animada para ver Matthew entregar o pedido em alguma mesa.

Ele era alto e elegante, exatamente o tipo do qual Patrícia gosta. Era uma noite perfeita.

Quando se levantou da mesa, Diego e eu trocamos olhares que fizeram com que minha risada fosse espontânea, como há muito tempo não estava sendo. Eu não sabia se ria pelo fato de estar tão dominada por sua presença ou pelo Desafio lançado a Matthew, que rumava decidido em direção ao garçom que chegava ao segundo andar carregando uma porção de fritas.

– Quem pede fritas no fim da noite? – indaguei, rindo ainda mais.

– Ele não vai fazer isso – disse Patrícia, abaixando levemente o rosto e encobrindo os olhos com os cabelos.

Ela era linda, essa é a verdade. Estava agora com longos cabelos escuros, cujas pontas haviam sido tingidas de rosa, o que quebrava imediatamente sua imagem de boa moça. Aquilo era uma herança minha.

Durante o tempo que ela passara fora do país, eu não pude tingir seus cabelos – o que era sempre uma forma de expressão maluca de minha arte –, mas pude perceber pela ousadia na coloração das pontas que a menina recatada definitivamente aprendera algo comigo.

Os chapéus, porém, eram escolha dela. Sempre fora assim. Era quase impossível encontrá-la sem um chapéu na cabeça. Eles eram lindos e combinavam com minha amiga e seu estilo, porém, particularmente, eu não conseguiria me acostumar com aquilo.

A pele morena e os olhos verdes que ela possuía eram argumentos essenciais na prosa que sua beleza defendia.

Patrícia sempre demonstrara timidez no olhar. Por sermos o oposto, eu a ensinara a se soltar mais e a ligar menos para regras. Assim como, às vezes – mas apenas às vezes –, ela também me ensinara a ser mais contida, menos explosiva.

Naquela noite eu estava com o cabelo repartido ao meio, mostrando minha face de forma limpa e impetuosa, pois não tinha nada a esconder.

Patrícia, por sua vez, sob o chapéu, usava um corte repartido para o lado, escondendo-se por trás de suas mechas quando lhe fosse conveniente, e isso era reflexo da introspecção que às vezes ainda a fazia de refém. Ela era uma mulher forte, guerreira, que passara por muito na vida. Mas não perdia o costume de inclinar a cabeça, de modo a deixar que uma mecha grossa lhe cobrisse parcialmente a face quando queria refugiar-se do mundo – talvez isso explicasse em partes o uso dos chapéus. Agora, ela repetia o gesto costumeiro.

Não era para menos. Foi totalmente embaraçoso quando Matthew entregou a porção de fritas em uma mesa com quatro homens sérios, que pareceram não achar graça nenhuma em seu gesto.

Nós achamos. *Nós quatro*. Rimos e batemos na mesa enquanto ele retornava, segurando a barriga de tanto rir.

Nós quatro.

Foi a primeira vez que me referi a nós dessa maneira.

Foi estranho.

E bom.

A noite encaminhou-se ainda mais para a escuridão e para o ápice da boemia conforme nosso jogo tornava-se um tanto gasto.

– Para encerrar – Matthew falou por fim –, cada um deve revelar o maior segredo da sua vida.

Ele havia sido o que mais sofrera com nossas brincadeiras, portanto, era compreensível que não sairia do Beira-Mar sem saber algo comprometedor de todos (ou, talvez, sem conhecer um pouco mais sobre Patrícia, cujo pingente desencadeara a melhor rodada de "Verdade ou Desafio mais tequila" já vista na América).

– Eu concordo – falei em alto som. Minha voz nunca era reprimida, ainda mais após tantas doses. Pousei o copo com força na mesa e encarei Diego e Patrícia.

– Eu também – concordou o colombiano, que parecia não recuar frente a uma brincadeira.

Todos fitavam Patrícia, crentes de que ela não iria aderir a nossa rodada final de revelações.

Deixando novamente que os cabelos lhe cobrissem um dos olhos, escondendo metade de sua face ruborizada, e ajeitando mais uma vez o chapéu dourado, ela apenas confirmou com a cabeça que iria participar.

Diego bateu palmas e segui seu entusiasmo, sendo a primeira a falar.

Eu não tinha grandes segredos. Minha vida se resumia à rebeldia e à arte. Minha família era insuportável e eu vivia sozinha desde os dezessete anos, tingindo meus próprios cabelos e revestindo-os com as mechas que bem entendesse. Mas isso era basicamente tudo para se saber a meu respeito. Então, querendo dizer algo que motivasse meus companheiros a desinibirem-se, contei um episódio trágico pelo qual passei alguns anos atrás:

– Já tentei me matar. – Patrícia, claro, sabia tudo sobre o episódio. Inclusive, ela fora a única a me visitar no hospital no dia seguinte e dormira em meu apartamento por um mês depois que tive alta, com medo de que eu não houvesse desistido da ideia. Os rapazes, contudo, fitaram-me com um misto de incompreensão e surpresa. Você nunca esperaria que uma pessoa tão cheia de vida como eu já tivesse tentado morrer. – Próximo – eu disse, tirando-os de suas reflexões alcoolizadas.

– Sua revelação mexeu comigo – Matthew tomou a palavra.

– Por algum motivo especial?

– Minha irmã se suicidou há alguns anos. Sei que isso não é exatamente um segredo, mas vou revelar um fato importante da minha vida, para que terminem a noite sabendo um pouco do que meu coração guarda. Não tenho família. Todos estão mortos.

– Como? – questionou Patrícia sem pensar.

– Já fiz minha revelação por ora – Matthew respondeu, lançando-lhe um sorriso misterioso, que deixava muito por dizer.

– Minha vez – interrompeu-os Diego –, mas já vou adiantar que o maior segredo da minha vida não posso revelar. Estou sendo sincero.

– Isso não é justo. Por que você quis jogar então? – perguntei, irritada. As regras do jogo eram bastante claras.

– Porque tenho muitos segredos e creio que um deles irá satisfazê-los.

– Mas queremos o maior – argumentei.

– Teremos todo o tempo do mundo para isso, bebê.

Bebê? Por que até as coisas bregas e ridículas pareciam certas quando era ele quem estava falando?

Chacoalhei a cabeça. Talvez fosse o momento de suspender o álcool.

– Eu já sei qual você vai revelar – falou Matthew, rindo, antes que o amigo pudesse contar.

Embora não fosse o maior segredo de Diego, confesso que a risada calorosa de Matthew despertou minha curiosidade. Fitei-o, incentivando-o a falar.

Ele respirou fundo e também ria quando disse:

– O pessoal da companhia de dança pensa que sou gay.

Patrícia arregalou os dois olhos e começou a rir junto a Matthew. Eu, por outro lado, senti uma estranha preocupação com aquela informação.

– E você é?

– Não, de forma alguma – ele retrucou, piscando para mim. – Não que tivesse problema se eu fosse, mas só quero que não restem dúvidas.

– E por que você não conta a verdade para eles? – perguntou minha amiga.

– Porque é divertido – Diego assumiu. Ele era claramente o tipo de pessoa que abre mão de tudo por uma boa piada. Até eu ri ao ver o quanto ele se divertia com a situação.

Quando os risos se acalmaram, todos observaram Patrícia, com esperança de que ela mantivesse sua promessa e revelasse seu maior segredo. Eu sabia qual era, apenas não sabia se ela teria coragem de revelar. Eu estava enganada. Talvez as tequilas a tivessem convencido, ou mesmo os olhares penetrantes de Matthew.

– Tenho uma filha – ela revelou.

Percebi um leve tremor em sua mão, presente sempre que ela tocava naquele assunto.

– Isso explica o pingente – Diego assentiu.

Matthew abriu um sorriso:

– Que ótimo! E onde ela está?

– Não sei – concluiu Patrícia. – Já fiz minha revelação por ora – completou decidida, lançando um olhar desafiador a ele, e pousando o copo vazio sobre a mesa.

4
Matthew

A garoa fina martelava contra o vidro do carro e ecoava em meus pensamentos. Eu costumava ser intenso, mas há um mês meu coração batia um pouco mais tranquilo. A sensação fugidia da paz era desconfortante após anos de sua ausência.

Fazia exatamente um mês que meu amigo e eu conhecêramos Laura e Patrícia no pub à beira do lago, e aquela noite havia sido a mais divertida da minha vida até então.

No mês que se passara fizéramos diversos programas, como cinema, boliche, jantares e noites de jogos de tabuleiro – as minhas preferidas.

Eu sempre fui um cara sozinho. Completarei trinta anos no próximo verão. Trinta anos de clausura em minha própria concha.

Há aproximadamente um ano, Diego mudara-se para o prédio em que eu costumava morar. Na verdade, aluguei meu apartamento para ele e voltei para a casa que eu evitara por tantos anos: a casa da minha família.

Era estranho e doloroso entrar naquele local. Os cômodos grandes e numerosos aumentavam a sensação de vazio. Contudo, eu havia finalmente conseguido me convencer a enfrentar os fantasmas do passado.

O apartamento era pequeno e impessoal, sem memórias ou afeto. Após anos de solidão, decidi refugiar-me novamente no único local que um dia eu chamara de lar. Estava tudo lá: os móveis, os utensílios, o passado, os sonhos rompidos.

Diego, o dançarino colombiano para quem eu alugara o apartamento, era falante e contagiou-me com sua presença alegre. Ele tinha o dom de me fazer falar. E isso era raro. Tinha apenas vinte e quatro anos, mas conhecia boa parte do mundo devido à sua arte. A família dele vivia na Colômbia e, por mais que estivessem distantes, ele tinha a certeza de que respiravam em algum canto do mundo. Eu tinha vários motivos para invejá-lo. Entretanto, identifiquei-me com nossas diferenças e contei-lhe parte de meu passado sombrio, enquanto ouvia sua vasta experiência de vida, apesar de ser cinco anos mais jovem.

Ele ofereceu-se para ajudar na mudança para a casa de minha família.

Naquele fim de semana em que nos conhecemos, fomos até o local para limpar e separar o que estava velho demais e o que ainda podia ser útil.

Uma prima da minha mãe vivera ali por alguns anos, cuidando da casa, mas tínhamos pouco contato. Eu soube que ela partira havia um tempo, sem nem se despedir ou dizer para onde ia, mas mesmo tendo aquela mansão toda só para mim após sua partida, nunca havia me atrevido a voltar. Estava tudo ali.

Ao mesmo tempo que preservei alguns aspectos daquele antigo lar, com a ajuda de Diego, dei-lhe uma cara nova e moderna. Exatamente o que eu desejava para essa nova fase da minha vida.

Todo o trabalho havia sido feito ao som de boa música latina, o que ajudara na renovação de meu espírito.

Nunca tive amigos, costumava ser inseparável da minha irmã quando ela era viva.

Contudo, Diego mostrava-me um lado da vida que eu não conhecia: a insistência diária em ser feliz. Eu devia muito a ele por nosso primeiro ano de convivência, pois me convencera a sair naquela noite, levando-me ao encontro dos olhos perturbadores e misteriosos da bela Patrícia.

Eu estava mais feliz do que havia estado em todos os anos desde que acontecera minha tragédia familiar.

Voltei à realidade, banhada pela garoa fina daquela manhã, e logo cheguei ao laboratório. Entrei e acendi poucas luzes, liguei o computador. Aquele era meu ritual de quase todas as manhãs nos últimos anos. Havia muito a ser feito, embora fosse fim de semana.

Enquanto eu perdia-me em cálculos e análises, uma batida à porta despertou-me de sobressalto. Era estranho, visto que eu era o único maluco a ir ao laboratório naquele fim de semana para adiantar os projetos. Caminhei até a porta e a abri temeroso. Meus olhos, contudo, logo sorriram ao ver quem me visitava: Patrícia. Ela estava linda em seu traje casual, com um chapéu lateral do exato tom rosa da ponta de seus cabelos. Não resisti e a beijei imediatamente, tamanha era minha alegria com a surpresa.

Se fosse um tempo atrás, eu estaria incomodado por ter meu trabalho interrompido. No entanto, eu conhecia uma nova face de mim mesmo. A face que se importava com outras pessoas e que descobria em suas presenças uma motivação especial.

Eu já roubara alguns beijos de Patrícia, mas confesso que aquele, tão inesperado, tivera um sabor especial.

– Entre – convidei-a.

– Finalmente vim conhecer seu local de trabalho.

O laboratório não era muito interessante e eu costumava ser discreto quanto aos projetos que executava. Nunca recebera visitas no trabalho e nunca me ocorrera a ideia de convidar Patrícia para ir até ali, embora eu já conhecesse o consultório que ela dividia com mais dois dentistas e alguns dos projetos em que estava trabalhando nos dias em que ia para a universidade.

Fiquei encantado com sua reação. Tão atenciosa e interessada em tudo o que lhe mostrei, mesmo eu podendo jurar que não seria interessante a alguém que não fosse do ramo.

Sua atenção, sua companhia. Eu não conhecia muito bem aquela sensação que me invadia discretamente desde a noite de tequilas e segredos no Beira-Mar.

– Quer ser minha namorada? – soltei. Só acreditei que havia dito aquelas palavras em voz alta quando as ouvi pairando no ar.

Patrícia olhou-me assustada com o pedido inesperado. Inesperado até mesmo por mim. Eu não planejei pedi-la em namoro. Estava satisfeito com nossa relação, mas, aparentemente, alguma parte de mim acreditava que era hora de avançar.

Aquele olhar que me trazia novas motivações e esperanças havia um mês invadiu-me e fez meu coração sorrir. Um sorriso sossegado e gostoso, de quem finalmente encontra o caminho de volta para casa.

Eu estivera perdido por tantos anos e acostumara-me a viver nas trevas, embora tivesse tentado resistir à luz que Patrícia trouxera à minha vida e que me ofuscara a vista, eu já não aguentava mais e estava completamente entregue.

Minha alegria foi infinita ao ouvir a palavra "sim". Em seguida, vi-me envolvido pelo abraço dela, tendo a certeza de ter encontrado alguém que espantaria os males que eu sozinho não conseguira espantar.

5
Diego

— Já aprendi que o mais importante a saber sobre você é que não se deve acordá-la antes do meio-dia, isto é, se você tiver amor pela vida – brinquei. – Na verdade, aprendi isso na primeira semana em que estávamos saindo.

Laura lançou-me um sorriso irônico. Eu podia prever o que ela estava prestes a dizer, mas não foi preciso, em três segundos eu já estava ouvindo de sua própria boca:

— Então por que diabos você me telefonou às oito?

— Porque, bebê, preciso da sua ajuda. Eu daria conta do serviço sozinho, mas não teria graça sem esse seu mau humor matinal – falei, envolvendo-a pela cintura e aproximando meus lábios dos seus. Contudo, ela afastou-se sem que eu pudesse beijá-la. – E aí está ele, por sinal! Você acorda ao meio-dia, mas o bom-humor só chega às três da tarde.

— Muito engraçadinho – ela provocou, dirigindo-se para abrir a primeira lata de tinta. – Você sabe que não acordo cedo, já que passo a noite toda trabalhando. A lua é a melhor amiga das criações artísticas, assim como o silêncio da madrugada – ela apontou para a janela, invadida pelos raios do sol e por todo tipo de som que se pode imaginar: buzinas, gritos, escapamentos, rádios. – Não consigo trabalhar com essa barulheira! – completou, já com a lata aberta, dirigindo-se a uma segunda.

– Eu sei, bebê. Chamo isso de rebeldia artística. – Seu olhar foi desafiador ao ouvir o termo que eu acabara de improvisar. Geralmente eu sabia o que seus olhos queriam dizer; aquele era um dos raros momentos em que não tinha a menor ideia. – Além disso, como eu perderia a oportunidade de ter meu humilde apartamento redecorado pela maior artista que já conheci?

Ela me observou, ainda enigmática. Laura não se derretia com meus galanteios. Muito menos se convencia com meus elogios.

Eu, um romântico incorrigível, tive de me acostumar com o seu jeito. No fundo, eu sabia o que fazia seu coração acelerar, mesmo que suas expressões fossem profissionais do disfarce.

– Posso saber por que você abriu *duas* latas de tinta, bebê?

– Isso não é tudo, ainda abrirei a terceira. Branco, salmão e azul-marinho. Você queria a ajuda de uma artista, então deixe a artista brincar com as cores – ela falou, rindo apenas com os olhos, que se voltavam para mim. Estava apaixonada, eu sabia. Eu podia ver e sentir, mesmo que não ouvisse as palavras saírem de sua boca. Talvez pelo fato de sermos tão diferentes e de que cada minuto ao seu lado fosse um desafio, eu parecia gostar mais de Laura a cada instante.

– Mas justo na minha parede você resolve realizar um experimento? Onde estão nossos cientistas para dizer que a tese não tem fundamento?

Finalmente ela riu. Matthew e Patrícia chegariam em breve para ajudar na pintura e redecoração do meu apartamento. Eu queria aproveitar aquele tempo a sós com Laura. Tenho ótimo humor pela manhã, do qual ela nunca desfruta. Na verdade, tenho ótimo humor o tempo todo, mas o fato de tê-la ao meu lado naquele momento trazia um novo frescor para o dia que se iniciava.

A redecoração fora inicialmente sua ideia. Após tantas indiretas – e algumas diretas – de como meu apartamento era sem graça, tomei coragem e fui às compras. A matéria-prima de que precisávamos estava toda ali, garantindo um longo dia de trabalho e várias horas ao lado das pessoas que mudaram minha vida um mês atrás.

Requebrando os quadris, do modo que sempre fazia Laura sorrir, atravessei o cômodo e liguei o som, trazendo boa música latina aos nossos ouvidos.

Quando me virei, ela já havia começado a pintar a primeira parede. Tenho certeza de que ela sorria com o canto dos lábios, mas como não queria que eu visse, refugiou-se na tarefa.

Deixa comigo, pensei.

Fui até ela e envolvi-a com todo meu requebrado, segurando seu braço trabalhador e imitando-a no movimento. Ela teve um ataque de riso e pintou meu nariz de salmão.

– Combinou com você – falou.

– Não tanto quanto você combina comigo – retruquei.

Aquele episódio lembrou-me do dia em que eu e minha família redecoramos nossa casa na Colômbia e da bagunça que fizemos. Vivíamos no campo, em uma casa simples, mas espaçosa, com nove pessoas – meus pais, minha avó materna, a irmã do meu pai e sua filha, eu, minha irmã e meus dois irmãos – e todos os tipos de animais de estimação que se possam imaginar. Dizia minha mãe que eu já dançava dentro de sua barriga e, quando nasci, ela jurava que eu estava rindo e não chorando. Por isso amo tanto viver!

Foi difícil partir para a cidade grande em busca do meu sonho, assim como foi ainda mais difícil quando mudei de país. Mas eles queriam que eu fosse feliz, e isso significava fazer o que mais me deixava feliz no mundo. Apesar da distância, sei que eles se orgulham de mim.

Minhas breves lembranças foram interrompidas pela risada de Laura tropeçando em uma das latas de tinta. Por sorte, eu a apoiei antes que o estrago fosse feito. Segurando seus braços com força, olhei-a dentro dos olhos e murmurei:

– Você é especial, sabia?

Ela pigarreou, ainda sem ceder ao meu romantismo e, reerguendo-se, disse:

— Se isso é verdade, por que você não quer contar o maior segredo da sua vida para mim?

— E a segunda coisa que aprendi a seu respeito é que você nunca perde uma briga — falei rindo. — Você não vai desistir, não é?

Desde a noite em que nos conhecemos no Beira-Mar, Laura e eu havíamos nos encontrado quase todos os dias e eu já perdera a conta de quantas vezes ela mencionara o fato de todos terem revelado fatos importantes de suas vidas e eu ter me esquivado com uma brincadeira.

— Mas o pessoal da companhia de dança realmente pensa que sou gay! — argumentei.

— E se você não tiver a coragem de me contar o que está escondendo, vou começar a achar que eles têm razão — ela rebatia.

Agora, no meio do meu apartamento, irreconhecível com os móveis e as costumeiras bagunças afastados ou cobertos para não serem estragados pela tinta (incluindo as incontáveis fotografias de minhas viagens, que eu gostava de sempre manter à vista), reconheci minha falha.

Não havia motivo para fazer tanto mistério. Se eu quisesse seguir com nosso relacionamento, ela teria de saber de qualquer forma.

Além disso, não era motivo para vergonha ou ressentimento. Eu deveria contar. Se adiasse, ela podia se zangar de verdade. Afinal, desistir do meu segredo não era uma opção para a bela rebelde à minha frente.

— Certo — eu disse.

— Certo? — Nem ela acreditava que a vitória estava garantida.

— Eu vou lhe contar. Mas peço que, por enquanto, não conte a mais ninguém.

Ela concordou, sentando-se ao chão, já que o sofá estava impossibilitado naquele instante. Sentei-me ao seu lado e cruzei as pernas. Era difícil fingir que eu não estava nervoso, então nem tentei. Percebendo que o assunto seria delicado, Laura segurou minhas mãos e disse:

— Fale quando estiver pronto.

Olhei pela janela e senti o vigor do sol que nos acompanhava naquela manhã. Era o dia certo para uma revelação que, quando me foi dada, significou exatamente *recomeço*.

Desde então, eu sentia que cada novo dia era uma nova chance que eu recebia da vida, a cada manhã eu me sentia novo.

– Estou pronto – falei.

– Os cientistas chegaram! – anunciei em voz grave, abrindo a porta. Sabia que eram eles. – Vocês estão atrasados!

Na verdade, eu deveria agradecê-los pelo fato de terem se atrasado. Laura teve mais tempo para digerir tudo o que eu lhe contara. Mas devo admitir que sua reação fora simples, não passando de algumas perguntas.

Esse era mais um dos motivos pelo qual eu a adorava. Ela sabia facilitar, fazer uma tempestade se tornar uma garoa, quando queria – embora também soubesse armar uma tempestade melhor que ninguém, quando era essa a sua vontade. Era compreensiva e amiga em toda sua rebeldia, que não passava de uma cortina para a bondade de seu coração.

– Acho bom vocês entrarem logo – continuei dizendo a nossos amigos –, antes que o experimento de Laura acabe com o que restou da minha parede. Preciso de supervisão científica.

Todos riram, enquanto nos reuníamos na sala. Era maravilhoso quando era assim: *nós quatro*, escondidos em algum canto, enquanto o mundo acontecia lá fora. Eu sentia que era disso que precisava para sempre. Ah, a música continuava a tocar, claro. Eu também precisava disso.

Estranho. E exagerado. Eu sei. Mas, como disse, sou um romântico incorrigível e entro de cabeça em meus relacionamentos. Já me considerava o cara mais sortudo do mundo toda vez que usava a expressão *nós quatro*.

Matthew e Patrícia indagaram Laura acerca da bagunça de cores que ela fazia, e ela confessou que sua ideia era gerar um quadro abstrato e sem qualquer tipo de padrão na parede principal de minha modesta sala. Eu adorei!

Já munidos do material necessário, entregamo-nos ao trabalho.

Não pude deixar de notar o quanto Patrícia estava linda, com um daqueles chapéus que ela adorava. E, principalmente, como ela e Matt pareciam felizes juntos. O casal agora estava oficialmente namorando.

Eu tentara pedir Laura em namoro algumas vezes, com minhas sinceras cenas românticas, mas ela se recusara a dizer "sim", alegando que pedidos de namoro eram bregas e fora de moda. Portanto, nós estávamos juntos, construindo nosso relacionamento, conforme ela dizia. Mesmo assim, eu a apresentava como minha namorada.

Trabalhamos muito e rimos ainda mais.

Era bom ver como Matthew parecia um novo cara. Eu conhecera sua versão carrancuda e assustadoramente séria. Era indescritível vê-lo sorrir tanto em um único dia, e ver seus olhos brilharem tanto com a presença de uma única pessoa: Patrícia.

Parávamos sempre que Laura dava alguma sugestão a qualquer um de nós, e quando as pizzas chegaram. Paramos também quando terminamos a parede principal e atentamo-nos aos outros detalhes da decoração, como pendurar pequenos enfeites que eu comprara, novos utensílios e até uma capa para o sofá.

– Para comemorar – disse Patrícia ao fim do dia –, devíamos ir todos juntos para a casa de Matthew e pular na piscina, enquanto eu faço as caipirinhas que aprendi no Brasil.

– É – concordou o próprio Matthew –, o álcool sempre nos dá sorte.

– Ótima ideia – eu disse –, mas vocês não acham que vão deixar o quadro assim, sem a assinatura dos artistas, não é?

Todos me olharam, pensando que era apenas mais uma de minhas brincadeiras.

Abaixei-me e abri duas latas de tinta, a de cor salmão e a azul-marinho. Havia sobrado bem pouco, mas seria suficiente.

Mergulhei uma mão na tinta azul e puxei Laura, para que fizesse o mesmo.

Então, pedi que Patrícia e Matt tingissem as palmas de uma das mãos de salmão.

Em um canto da parede, que estava sempre à mostra, sem que qualquer móvel o revestisse, e que estava predominado pela tinta branca, pressionei com força a palma de minha mão tingida de azul-marinho. Laura fez o mesmo, ao lado da marca que eu deixara. Fomos imitados por nossos amigos. Aquele foi um dos únicos instantes do dia em que ficamos em silêncio.

Confesso não encontrar palavra adequada para expressar o que aquelas marcas significavam para mim. Elas estendiam-se para muito além da parede – que estava linda, por sinal, tamanha era a qualidade da arte e do amor que lhe foram incutidos.

Aquelas marcas, deixadas por *nós quatro*. Eu podia jurar que, mesmo se o prédio fosse demolido, jamais sairiam dali.

6
Patricia

Não apenas era divertido fazer as caipirinhas como também me soava nostálgico.

Os dois anos que eu passara no Brasil haviam sido inesquecíveis por diversas razões. O único ressentimento era que a motivação inicial que me levara ao país não tivesse fundamento, no final das contas. Eu tivera que abrir mão de muitas coisas. Mas aquela não era hora para esse tipo de pensamento, profundo e doloroso.

Eu estava surpresa com o fato de que nenhum dos meus amigos jamais provara uma caipirinha. Isso aumentava minha responsabilidade – mas também incrementava a diversão da noite.

A casa de Matt era espaçosa e aconchegante. Sua família tivera muito dinheiro e agora tudo era dele, assim como aquela linda mansão com um gramado e um jardim esplêndidos. Por mais que fosse difícil viver com as lembranças, eu o admirava por ter tomado a decisão de voltar para lá.

Ele se abrira comigo e contara sobre todo o processo de mudança – não a mudança de casa, mas de pensamento e de atitude – até que tomasse a coragem.

Pena que eu não o conhecia quando isso aconteceu, pois, se fosse possível, poderia gostar ainda mais dele. Além de tudo, a mudança o levara a conhecer Diego.

Nós quatro não poderíamos estar mais agradecidos por ele ter tomado a decisão de voltar para a casa em que crescera. E agora tínhamos uma piscina deliciosa para os finais de semana! O que era um luxo, já que eu, Laura e Diego vivíamos sozinhos em nossos respectivos apartamentos.

– Vejam só a folga! – eu disse, em meu traje de banho, com meu chapéu repleto de estampas tropicais, levando as bebidas prontas para a beira da piscina, onde eles me esperavam.

– Na próxima rodada, você tem que me deixar ajudar – falou Diego –, preciso saber qual é o segredo por trás dessas caipirinhas.

– Vou pensar no seu caso – respondi piscando.

Levantamos nossos copos e brindamos, como sempre fazíamos. Traz má sorte beber sem brindar.

Então, Matt disse:

– Eu juro aliança eterna a *nós quatro*.

O rapaz que havia se fechado para o mundo, abria-se de forma verdadeira e profunda. Eu não poderia estar mais feliz por ser parte daquela reinvenção dele mesmo.

À beira da piscina, sob uma lua tão sorridente e estrelas que pareciam tão próximas, como testemunhas do momento mágico que vivíamos, senti-me a pessoa mais sortuda do mundo por tê-los ao meu lado. Senti que seríamos inseparáveis e que, a partir daquele juramento, enfrentaríamos todas as dificuldades juntos. Mesmo quando a lua e as estrelas se fossem, dando lugar a tempestades e a tormentas, senti que podia contar com cada um deles. Estaríamos sempre unidos. Vi o mesmo sentimento por de trás de cada olhar.

– Juro aliança eterna a *nós quatro*.

– Eu juro aliança eterna…

– …a *nós quatro*.

Todos repetimos a frase de meu namorado.

Bebemos um grande gole das caipirinhas e pousamos os copos, entregando-nos a um abraço coletivo e apertado. Mas, antes que ele pudesse terminar, Diego pesou o corpo contra nós, atirando-nos na piscina. Estava sendo um dia de grandes alegrias.

Conforme os copos esvaziaram-se, fui à cozinha preparar mais bebidas.

Matt e Laura permaneceram brincando na água enquanto Diego seguiu-me pela casa.

— Você tem certeza de que quer saber como preparar uma boa caipirinha? — perguntei.

— Claro, tenho que honrar minhas raízes latinas.

— Mas já vou avisando, as caipirinhas são ainda mais viciantes quando se sabe prepará-las.

— Acho que estou pronto para correr esse risco.

— Pode começar cortando as frutas — falei.

Diego fez uma careta engraçada e começou a tarefa. O resultado disso foram mais e mais risadas.

Era incrível como ele conseguia fazer piada de tudo. Rimos tanto que, em um momento, tive de colocar a faca longe para não correr o risco de me cortar por acidente.

— Duvido que você chupe meio limão — falei, enquanto ainda ríamos de suas gracinhas.

— Sério? Você me subestima demais. Eu chupo o limão inteiro se você... — ele correu os olhos pelos ingredientes que tínhamos sobre a mesa — comer uma colher cheia de açúcar de uma vez só.

— O quê? Isso é nojento — falei.

— Não sabe brincar?

Diego era claramente o cara que perde o amigo, mas não perde a piada. Eu estava tão dominada pelo momento alegre e pelo álcool da caipirinha anterior, que não pensei duas vezes. Enfiei uma colher repleta de açúcar na boca.

Foi uma das sensações mais estranhas que já tive. Senti ânsia, enquanto Diego quase rolou no chão de rir ao ver minha cara. Por um momento, pensei que realmente ia passar mal. Meus olhos se encheram de lágrimas e meu corpo se contraiu pelo mal-estar.

Arfando, me reergui e olhei Diego com intensidade:

– Sua vez – eu disse, ainda me recuperando.

E não é que aquele doido chupou dois limões inteiros?

– Foi pelo seu sacrifício, você mereceu o dobro do meu empenho – ele disse, como se nada tivesse acontecido.

– Doido.

Voltamos para a piscina munidos de mais bebidas e as compartilhamos com Matt e Laura.

Logo, Diego puxou minha amiga para um canto da piscina, então eu e meu namorado também ganhamos certa privacidade.

Pensei que ele ia me beijar ou fazer algum comentário sobre o dia agradável que havíamos tido. Em vez disso, ele murmurou em meu ouvido, parecendo relutante com as próprias palavras:

– Você e o Diego se divertiram fazendo as caipirinhas.

Aquilo não era uma pergunta.

Da piscina, onde ele e Laura haviam ficado nos aguardando, não era possível ver a cozinha.

– Você foi até lá? – perguntei.

Ele não respondeu. Suas feições sérias tinham um quê de assustadoras.

– Matt – eu disse –, você está louco? Se você foi até a cozinha, por que não entrou e nos ajudou a preparar as bebidas?

Sem que eu percebesse, meu coração estava acelerado. Eu ficara repentinamente nervosa, mesmo sabendo que não havia feito nada errado.

Antes que ele pudesse dizer algo, fomos interrompidos por um mergulho exagerado de Diego na borda oposta da piscina e com as risadas de Laura:

– Esse cara é demais! – ela gritou, apontando para o namorado, que tentava ganhar ar enquanto fingia se afogar.

Ou talvez enquanto estava se afogando de verdade, eu não sabia dizer. Alguns milésimos de segundos se passaram até que eu e Matthew fôssemos nadando até eles. Diego ainda parecia sem ar. Com nossa ajuda, Matt o colocou no chão ao redor da piscina e bombeou-lhe o peito. Nada.

Meus olhos se encheram de lágrimas e Laura começou a gritar.

Matt reclinou-se até o amigo e estava começando a encostar os lábios nos seus quando Diego começou a rir freneticamente.

– Seu imbecil! – gritou Laura.

– Palhaço – disse Matthew tremendo de raiva.

Eu estava muito nervosa para dizer qualquer coisa.

– Qual é, Matt? Eu queria apenas a oportunidade de sentir seus lábios sobre os meus.

– É por essas e outras que o pessoal da companhia de dança pensa que ele é gay – Matthew disse a mim e a Laura, levantando-se e entrando na casa.

Eu podia imaginar o nível das brincadeiras de Diego para manter a crença distorcida sobre sua sexualidade entre todos os seus colegas de trabalho, que o conheciam há anos.

– Sabe o que toda essa brincadeira pede? – Diego perguntou, levantando-se.

– Isso não foi brincadeira, seu babaca – disse Laura, sem fitá-lo.

– Ok – ele respondeu em tom sério e irônico –, então sabe o que toda essa *tensão* pede? Caipirinhas! De vários sabores! Quero provar uma de morango, outra de maracujá, talvez de uva... Ah, sim, também há kiwis... – ele foi andando e falando.

Levantei-me para segui-lo até a cozinha, mas ele me interrompeu:

– Pode esperar aqui, donzela, este humilde serviçal irá preparar sua bebida.

Fazendo uma reverência, Diego entrou e sumiu no interior da casa.

– Ele é inacreditável – Laura resmungou.

Eu fiquei sem saber se ria ou se chorava. A brincadeira havia sido de muito mau gosto, mas a alegria que Diego trazia à minha vida era o suficiente para perdoar as babaquices.

Depois, Matt juntou-se a nós na beira da piscina e prosseguimos com a noite, resolvendo deixar de lado todos os mal-entendidos – com ajuda das caipirinhas, é claro.

O resultado disso foi que Diego realmente ficou viciado nas bebidas brasileiras. As plantas do jardim de Matt que o digam. Elas receberam sua parte de álcool, quando Diego esgueirou-se entre os canteiros e vomitou até o sol aparecer.

Laura estava adormecida à beira da piscina e Matt dormia no sofá enquanto eu cuidava de nosso amigo. Afinal de contas, a ideia e a responsabilidade por aquela noite eram minhas. E eu tinha certa experiência em cuidar de amigos que passavam da conta, tendo tido Laura como melhor amiga a vida toda.

Quando Diego finalmente pareceu recuperar um pouco de cor e ter o mal-estar diminuído, resolvi escoltá-lo para dentro da casa. Queria dizer "eu bem que avisei", mas não parecia apropriado já que ele mal conseguia sustentar as pernas.

Ao virar-nos em direção à casa, percebi que não estávamos sozinhos, como eu supunha. Matt nos encarava, parado em meio ao jardim. Senti uma súbita raiva e queria perguntar por que ele chegara ali em silêncio, aliás, por que estava nos olhando sem fazer nada. Era como se estivesse espiando, exatamente como parecia ter feito algumas horas mais cedo, quando preparávamos as caipirinhas na cozinha.

Acabei dizendo a mim mesma que ele devia estar exausto, além de assustado com a situação, que era nova para alguém que passara tanto tempo sem saber o que era diversão – e, portanto, seus efeitos colaterais.

– Como ele está? – Matt perguntou.

– Um pouco melhor. Você me ajuda a levá-lo para dentro?

– Claro.

Assim, colocamos Diego em um dos sofás, depois, retiramos Laura do sol que nascia e a colocamos no outro.

Matt e eu caímos exaustos no carpete, perdendo a consciência em instantes. Assim, ficamos ali, os quatro adormecidos. Poderíamos ter ido para as camas, mas era mais divertido quando estávamos todos juntos.

7
Laura

Acordei com a cabeça doendo. Mais uma vez.

Durante toda minha adolescência, eu jamais poderia contabilizar as vezes em que fiquei de ressaca. Na faculdade, então, não havia uma semana em que eu não fosse a alguma festa. Por sorte, sempre tive Patty para cuidar de mim, apesar de a situação se inverter às vezes, já que ensinei à minha melhor amiga o caminho da perdição. Nada que ela não fosse descobrir sozinha.

Aliás, falando nela, jamais a chame de *Patty*. Eu acabei de chamar, pois sei que ela não ficará sabendo, mas, você, é melhor evitar.

Você pode chamar o Matthew de Matt, o Diego de... Acho que de qualquer coisa, quanto mais louco, melhor. Eu... na verdade, também não me importo com isso, pode me chamar como quiser. Mas, com Patrícia, é melhor que você não a chame de Patty pois de, alguma forma, ela acha isso ridículo.

Não que seja sensato ter esse tipo de pensamento a essa hora da manhã. Ou tarde? Por quanto tempo eu estivera dormindo?

Percebi que despertara com a risada exagerada de Diego, sentado no sofá em frente ao que eu estava – embora não me lembrasse de como havia ido parar ali. Patrícia, no carpete, contava-lhe algo que envolvia ele, vômito e o jardim, pelo que pude entender.

– Bom dia, princesa – ele falou, ao perceber que eu havia acordado.

– Como você está? – perguntou minha amiga.

Limitei-me a colocar na mão cabeça e fechar os olhos, indicando que os resultados da festinha do dia anterior já haviam chegado.

Diego está sempre certo ao mencionar meu mau humor matinal. Imagine quando a manhã chega acompanhada pela horrível *sensação do dia seguinte*. Eu queria que o mundo explodisse.

Não estava com paciência para as gracinhas de Diego. Deixei-o na sala com Patrícia – afinal, eles pareciam estar se divertindo –, e segui sons pela casa, que me levaram à cozinha, onde Matt preparava algo. Provavelmente se tratava do café da manhã, ou do almoço, não sei.

Eu deveria oferecer-lhe alguma ajuda, mas tudo que pude fazer foi despejar meus próprios ossos na cadeira mais próxima.

– Veja quem acordou! – ele disse.

– Que horas são? Você e a Patrícia não deveriam ir para o trabalho?

– Eu tirei folga hoje, meus projetos estão adiantados. Já Patrícia eu realmente acho que deveria estar no consultório, mas Diego escondeu todos os relógios e falou a hora errada para ela.

Comecei a rir euforicamente. O total descontrole da noite anterior, reprimido quando acordei, tivera algumas faíscas reavivadas.

Patrícia odiava chegar atrasada ao trabalho e ela iria matar Diego quando soubesse o que ele estava fazendo. Principalmente por saber que naquele dia ele iria para a companhia de dança apenas no fim da tarde, ou seja, a única prejudicada pela nossa falta de responsabilidade seria ela.

Mas não tinha como não rir. Abracei os joelhos e gargalhei até perder a força novamente, então, voltei a permanecer imóvel e desmoronada sobre a cadeira, enquanto Matt preparava algo cada vez mais cheiroso.

– Isso é...? – indaguei.

– O almoço.

— Que horas são? A Patrícia vai matar todos nós por sermos cúmplices.

— Não tenho nada a ver com isso — ele falou, rindo, enquanto experimentava algo de uma panela.

Não demorou muito para que o cheiro se alastrasse pela casa.

Os passos de Patrícia estavam firmes quando ela chegou à cozinha, e o plano de Diego foi descoberto. Estranhamente, ela não estava usando chapéu. Devia ter perdido o que trouxera entre as tantas caipirinhas.

Tremendo de raiva, atirou uma cadeira nele, dizendo um monte de palavras misturadas, como responsabilidade, profissão, dentes e consultas.

Matt e eu nos controlamos para não rir. Eu não tinha culpa alguma, estava acordada havia apenas alguns minutos, portanto, mesmo que a alertasse, ela já teria perdido as consultas da manhã.

— Pobres dos meus móveis — falou Matt, enquanto ela arremessava outra cadeira em Diego, que estava se divertindo com a situação. Embora não risse abertamente, dava para notar em suas expressões. Tudo o que ele repetia era:

— Fiz isso para que você ficasse um pouco mais com a gente...

De nada adiantou. Ela saiu furiosa da casa, sem dizer mais nada, batendo todas as portas que encontrava pelo caminho e cantando pneu ao sair da garagem.

Não me contive e dei alguns tapas em Diego quando ele deixou-se cair no chão rindo.

Aquela era uma semana importante para mim. Haveria uma exposição dali a três dias em uma galeria que sempre dava grande visibilidade ao meu trabalho e que já me gerara bons contratos.

Eu não seria a única artista a expor, nem receberia uma grande comissão, mas estava nervosa por ser a primeira exposição da qual participaria nos últimos meses, ou seja, a primeira após conhecer Diego e Matthew.

Eu jamais admitiria, claro. Por fora, agia como se tudo aquilo fosse casual. Como já disse, sou péssima em expor meus sentimentos por qualquer meio que não seja a arte. Mas a verdade é que por dentro eu me importo com as coisas, e muito.

Como não daria tempo de preparar nada novo, selecionei peças antigas e algumas que concluíra no último ano.

Passei aqueles três dias pensando nos mínimos detalhes para que tudo saísse perfeito. Fui à galeria nove vezes e supervisionei de perto enquanto minhas peças eram colocadas em exposição. Eu nunca havia feito aquilo, me preocupado com tantos detalhes, mas ter os meninos vendo meus trabalhos mais especiais pela primeira vez era muito importante para mim. Eles eram as únicas pessoas, além de Patrícia, que eu queria que tivessem orgulho de algo que eu estava fazendo.

Não costumo convidar minha família. Acho que sou a única de nosso grupo que tem os pais vivendo na cidade, contudo, temos pouco contato. Motivo? O passado. Sempre o passado.

Finalmente eu encontrara pessoas que gostavam de mim do jeito que sou, e que jamais julgaram minhas atitudes ou mediram minhas palavras. Era realmente importante que meus três grandes amigos estivessem comigo na grande noite da exposição.

E ela chegou sem demora.

Não costumo me vestir de forma elegante. Sou sempre bem despojada e casual, mas resolvi colocar um vestido aquela noite e o único sapato de salto que tinha – embora devo admitir que ele era minúsculo perto dos *scarpins* que Patrícia gostava de usar. Peguei-me até imaginando o que ela vestiria aquela noite quando chegasse deslumbrante ao lado de Matt.

Eu ainda não dera meu toque aos seus cabelos, pois ela estava fissurada pelas pontas em tons de rosa que fizera no Brasil. Porém, os meus próprios eu havia tingido para a exposição. Estavam agora completamente azul-marinho, num tom único e liso, sem uma mecha sequer. E, para aquela noite, prendi-os em um coque especial que eu mesma inventei.

Talvez eu até apresentasse Diego como meu namorado ao público presente. Não era muito chegada a formalidades, mas o clima da noite pedia que eu agisse com seriedade.

Eu estava no salão, ao lado de uma de minhas peças, enquanto o público continuava a chegar. A galeria apresentava diversas atrações e exposições naquela noite, o que atraía as pessoas e ajudava na divulgação do meu trabalho.

Eu não parava de lançar olhares preocupados à porta. Por que eles ainda não haviam chegado?

Respirei aliviada quando vi a cabeleira loira de Matt sobressair na pequena multidão que começava a se aglomerar na entrada. Ele veio sorrindo em minha direção, trazendo um buquê de flores diversas, cujos nomes confesso não saber.

– Onde ela está? – perguntei, e ele sabia que eu me referia a Patrícia.

– Ah, sim, ela disse que a cirurgia que realizou esta tarde atrasou um pouco, então ela pediu que eu viesse na frente.

– Certo – respondi, um pouco desapontada.

– São para você – ele disse, estendendo-me as flores –, pela grande noite.

Sorri, sem saber ao certo o que dizer.

Invejei um pouco o cabelo de Patrícia nesse momento. Eu bem que gostaria de ter uma mecha extra cobrindo uma porção de minha face quando peguei as flores sem jeito. Senti-me ruborizar levemente.

– Esse é o seu namorado? – perguntou um colecionador, com quem eu conversara alguns minutos antes de Matt chegar.

– Não, não – falei apressada.

– Sinto muito – o homem respondeu, aparentemente constrangido, e se distanciou.

Por que diabos eu estava de coque?

Matthew apenas sorriu e me acompanhou pelo salão, para que eu lhe mostrasse meu trabalho, assim como para outras pessoas que me abordavam.

Eu mal havia começado a falar da primeira peça quando dei um pulo, assustada com o trovão que acabara de ouvir. O mundo logo desabou lá fora, assim como minhas esperanças de que Diego e Patrícia chegassem. O tempo estava correndo e a chuva aumentando.

A presença de Matt era reconfortante, mas seria demais pedir que eles também estivessem ali ao meu lado, me apoiando?

A minha sorte era justamente a habilidade que tinha em disfarçar emoções. Segui falando sobre meu trabalho, assim como a chuva e os relógios seguiram fazendo os seus.

O que eles poderiam estar fazendo que fosse mais importante que estar ao meu lado em minha grande noite?

8
Patricia

Saí atropelando tudo e todos no corredor.

Tudo bem, isso foi exagero.

Àquela hora, apenas a Daniela estava no consultório. Ela era uma das dentistas que alugava uma sala ao lado da minha e era viciada em trabalho. Esbarrei nela e em uma mesa com instrumental cirúrgico, o que a deixou aparentemente nervosa.

– Desculpe, Dani – falei. – Sinto muito.

– Pare de se desculpar e me ajude com essa bagunça.

Olhei pela janela, percebendo que a noite já caíra e que certamente a exposição já havia começado.

Laura. Sua grande noite.

– Não posso, não tenho tempo...

– E você acha que eu tenho?

Sem perder mais um minuto, abaixei-me no chão e juntei todos os aparelhos e instrumentos ortodônticos que consegui.

– Desculpe – disse a Dani mais uma vez, e saí correndo.

Sabe aquele dia em que tudo dá errado? Eu estava à beira de um ataque de nervos.

Um material de procedimento que encomendara havia chegado com atraso; uma cirurgia tivera uma complicação e se estendera por quase duas horas além do previsto; tive de atender um menino cuja mãe era minha paciente e aparecera quase invadindo a recepção para que eu atendesse seu filho sem hora marcada, pois ele estava com dor de dente.

Eu estava mal-humorada, exausta, com fome e, o pior, atrasada para a exposição de Laura. O elevador demorou tanto a chegar que resolvi descer pela escada enquanto tirava meu jaleco e soltava o cabelo.

Laura teria que se contentar com uma amiga maltrapilha naquela noite, se fizesse questão da minha presença. A verdade era que eu própria fazia questão de estar presente. Sempre achei o trabalho de Laura fantástico. Ela brincava com o delicado e o sombrio de uma forma que me hipnotizava. Eu adorava ir às suas exposições e sempre ficava muito orgulhosa de minha amiga.

E odiava muito estar atrasada.

Cheguei ao piso térreo depois do que pareceu um tempo infinito e corri para a rua, em direção ao meu carro que estava estacionado na minha vaga reservada em frente ao prédio.

Aquela rua não era das menos movimentadas, portanto, o trânsito parecia agitado como sempre. Por se tratar de um bairro repleto de hospitais e consultórios, nunca estava completamente vazio ou sossegado.

Calculei que em quinze minutos conseguiria chegar à galeria se a Nossa Senhora dos Semáforos Abertos me ajudasse.

Sentei-me no banco do motorista. Coloquei a chave na ignição. O tempo estava gélido, mas eu suava. Nada me impediria de dar a partida no carro naquele momento.

Nada, exceto aquilo que eu estava vendo.

Respirei profundamente, tentando acreditar no que meus olhos me contavam. Desci do carro, lembrando-me de pegar a chave antes de bater a porta.

Ufa!

Por pouco não deixei a chave lá dentro, isso seria uma desgraça. Meu carro sempre trancava sozinho pelo lado de fora, fato que já me importunara umas duas vezes desde que comprara o veículo de uma família estranha. Valera a pena pelo preço, eu havia acabado de chegar de viagem, não podia gastar muito. Mas no fundo eu sentia inveja do fusca azul de Laura. Ele também era temperamental, porém, era infinitamente mais divertido que meu carro tedioso.

Com a chave na mão, parei no meio da calçada e gritei:
– Diego!

Ele demorou alguns segundos para se virar, mas eu sabia que era ele, jamais deixaria de reconhecer aquele bumbum latino em qualquer lugar que fosse.

Quando ele finalmente percebeu que era eu quem o chamava, abriu um discreto sorriso e caminhou em minha direção. Ele estava estranho.

Seu andar, seu semblante, ele não parecia tão alegre quanto de costume.

– O que você está fazendo aqui? Por que não foi à exposição?

Ele ia abrir a boca para falar, mas me dei conta de que estaríamos apenas perdendo tempo.

– Estou indo para lá, você quer uma carona? – falei.

Ele concordou, parecendo aliviado, e entrou no meu carro.

Após três tentativas de dar a partida – como sempre acontece quando estamos com pressa –, saímos da frente do prédio, claramente atrasados para a grande noite de Laura e, o pior, eu não fazia a menor ideia do que o Diego estava fazendo por aquelas redondezas justo naquela noite, caminhando pela calçada como se ele não tivesse que estar na exposição de arte da namorada naquele mesmo instante.

Eu queria perguntar, mas, de alguma forma, ele parecia desarmado naquele momento. Lancei-lhe um olhar discreto. Eu seria capaz de jurar que havia algo errado.

O problema foi que havia algo errado acontecendo no exterior do carro também: uma chuva assombrosa cobriu o veículo e a cidade.

Eu estivera tão nervosa, querendo sair o mais rápido possível do serviço, que nem notara os raios e trovões e meu carro não se dava bem com chuvas. Na verdade, ele não se dava *nada bem* com chuvas, ainda mais com uma tempestade daquelas.

– Vou ter de encostar um pouco – falei.

Achei uma vaga e parei o carro, pensando em nossa segurança.

Os segundos pareciam não passar. Diego estava calado ao meu lado e a chuva torrencial nos impedia de seguir caminho. A noite estava perdida!

Tudo o que queria era que Laura soubesse que eu tentara, portanto, enviei uma mensagem ao seu celular e ao de Matt, mas provavelmente eles estavam entretidos com a exposição brilhante da minha amiga e só veriam as mensagens mais tarde.

Dizem que não há nada tão ruim que não possa piorar, contudo, eu duvidava que um dia daqueles pudesse acabar de forma pior. Mas eu estava enganada. Senti um forte cheiro, como se algo estivesse queimando. Tentei ignorá-lo a princípio, mas ele se intensificou com os instantes. Não era possível ver fumaça, devido à chuva, mas eu tinha certeza de que meu carro não estava bem.

– É melhor sairmos daqui – Diego falou, também notando o que estava acontecendo.

– Com essa chuva?

– Não temos outra opção.

Saímos do carro – onde tive que deixar, abandonado, o chapéu daquele dia – e tentamos nos esconder sob um toldo de uma loja à nossa frente, que àquela hora já estava fechada.

Mas era em vão, a chuva estava muito forte.

– Vamos fazer o seguinte – Diego falou alto –, vamos levar o carro até mais para a frente, ali tem um hospital, podemos nos esconder lá.

– Ou podemos correr até o hospital! – respondi, aumentando minha voz para que ele me ouvisse no meio de toda aquela tempestade.

– São três quadras!

— Eu sei, *eu* trabalho neste bairro! – gritei, claramente irritada. Era eu quem conhecia bem aqueles lugares, não ele.

— Me dê as chaves, vou dirigir.

— Por quê? Você acha que eu não sei dirigir com chuva?

— Não, não foi isso que eu quis...

Mas eu já não estava escutando.

— As chaves! – gritei.

— O quê?

— As chaves! – A chuva aumentava com o passar dos minutos, mal podíamos nos ouvir agora. – Não tem como entrar no carro, as chaves ficaram trancadas lá dentro! – berrei o máximo que podia.

Sem responder, ele agarrou meu braço e me puxou para a chuva, começando a correr.

— O que você está fazendo? – perguntei.

Ele não ouviu, então não pôde responder, mas logo vi que o ponto onde estivéramos parados instantes antes começava a alagar.

Tudo que tínhamos a fazer era encontrar um abrigo seguro naquela noite catastrófica, que deveria ter sido mágica ao lado de nossos amigos.

Deixei Diego guiar-me e mal podia notar para onde estávamos indo pois a chuva atrapalhava minha visão.

Pensei que fosse impossível que já tivéssemos percorrido três quadras, quando ele me puxou para um local coberto. Senti a sensação de abrigo e de proteção quando a chuva parou de castigar meu corpo. Não tinha a menor ideia de onde estávamos, mas percebi o quão encharcada eu estava assim que uma pequena poça se formou sobre o chão ao meu redor, com a água que escorria de meu corpo.

Eu tremia de frio da cabeça aos pés. Então, encarei Diego e o calor de sua presença bastou para que uma reconfortante sensação me preenchesse.

9
Diego

Assustei-me ao perceber o quanto Patrícia estava tremendo, e me senti mal por não dispor de uma roupa seca para emprestar-lhe naquele momento, visto que eu também estava completamente ensopado.

Cara, que situação!

Nós dois ali, tremendo de frio, ilhados do mundo que desabava lá fora, enquanto a exposição de Laura acontecia.

Que droga de namorado eu era! Talvez por isso ela não me apresentasse dessa forma. Mas eu tivera minhas razões para não estar ao seu lado. Ela entenderia quando eu explicasse os detalhes, principalmente agora, que ela sabia *tudo* sobre mim. Já não havia segredos entre nós.

Eu percebera os olhares confusos de Patrícia desde que eu entrara no carro, mas ela era educada demais – ou estava muito preocupada com a exposição – para insistir em saber o que estava acontecendo e o que eu estivera fazendo por ali.

Uma hora ou outra ela traria o assunto à tona, mas eu não poderia dizer a verdade. Não agora. Estava muito frágil.

Por trás de todas as risadas e piadas de mau gosto, um garoto frágil vive dentro de mim. Muitos dizem que eu pareço não ter amadurecido com a idade e estão certos. E isso não se deve apenas às gracinhas. Sinto que um pouco mais de maturidade me ajudaria a lidar melhor com os problemas. Eu estava sofrendo, mas não sabia como admitir. Não sabia sofrer, essa era a verdade. Em meu semblante só havia espaço para o riso, apesar do enorme segredo que eu carregava e carregaria para sempre.

Agora que as lágrimas queriam cair, eu não sabia como abrir as portas. O resultado disso era uma dor lancinante que eu jamais saberia explicar e que agora castigava meu peito.

— Você está chorando? — Ouvi a voz de Patrícia, que se aproximara, e examinava meu rosto com curiosidade.

— Não, eu não choro. — De certo, meus olhos estavam vermelhos pela vontade de chorar, mas eu tinha certeza de que nenhuma lágrima caíra. — É apenas água da chuva — completei.

Ela pareceu não acreditar em mim, e provou isso conduzindo gentilmente uma das mãos até meu rosto e deslizando os dedos sobre minha face úmida.

— Água da chuva — ela confirmou.

Apenas assenti, e ela continuou a falar:

— Você é enigmático, Diego. Sei que há muito aí dentro — apontou para meu peito — que você não está dividindo com a gente. Mas sei que há certas coisas que devemos guardar apenas para nós mesmos, então não vou perguntar mais nada.

Percebi afeto em seus olhos. Eu gostava muito de Patrícia, pois ela parecia me compreender de uma forma que mesmo Laura não conseguia. E eu também a compreendia de algum jeito inexplicável.

— Como é? — perguntei, supondo que ela sabia a que eu estava me referindo.

— O quê?

— Ter um pedacinho seu espalhado sobre a terra, em algum canto do mundo. Eu sei que o mundo é tão lindo, aprendi muito em minhas viagens, inclusive sobre a importância de criar raízes. Sempre pensei que filhos fossem como sementes que a gente planta e cultiva...

— Nesse caso, não serei eu a cultivar minha própria semente — ela falou, aproximando-se ainda mais. — É estranho, na verdade. Eu era muito nova e tudo aconteceu muito rápido. Tinha dezesseis anos quando engravidei. Agora, em algum canto do mundo, vive uma garotinha que foi gerada aqui dentro – ela segurou com força o próprio ventre.

– Você nunca falou sobre isso – eu disse, tentando colocar o tom certo em minhas palavras, para que ela soubesse que eu estaria disposto a ouvir e a confortá-la caso ela quisesse se abrir, mas que também não a estava forçando.

– Que lugar é este? – ela perguntou, quebrando o tom melancólico de nossa conversa, que tanto combinava com a noite sombria e tempestuosa que estávamos vivendo.

Olhei ao nosso redor.

Paredes frias de concretos e salas sem portas ou janelas – apenas com seus respectivos vãos – nos rodeavam.

– Creio que será mais uma galeria repleta de consultórios, pois este bairro tem crescido muito. Você sabe bem disso – respondi.

Mais cedo, quando sugeri que nos escondêssemos da chuva no hospital, eu havia me esquecido de que no caminho havia essa construção. Assim que ela apareceu, como se fosse um verdadeiro milagre diante dos meus olhos, não pensei duas vezes e puxei Patrícia para dentro, nos refugiando do caos do mundo. A chuva gritava do lado de fora, mas aquele lugar parecia trazer certa atmosfera de paz por causa do vazio cheio de sonhos a cada tijolo; era o local perfeito para ficar até que a chuva passasse.

– Vamos explorar – sugeriu Patrícia.

Subimos dois lances de escadas de concreto. Estava tudo muito escuro, então me aproximei de um buraco na parede, que deveria abrigar em breve uma grande janela de frente para a rua. A claridade trazida pela tempestade e pelos postes acesos permitia que eu visualizasse a face melancólica de Patrícia. Ela estava fazendo aquele lance com o cabelo.

Tive a mesma sensação de explorar um país desconhecido, fitando-a agora, assim tão vulnerável. Não era apenas pela ausência do chapéu, mas algo estava diferente nela.

Ficamos um bom tempo em silêncio, deixando que o céu falasse por nós através de seu pranto sofrido, quando minha companheira finalmente disse:

— Ela se chama Cassandra, mas eu a chamo de Cassie.

— Como assim você *a chama*? Pensei que você não a visse desde que...

— Desde que a dei à luz — Patrícia completou com pesar. — Faz dez anos, mas não se passa um dia sem que eu converse com ela antes de dormir. Me dá paz.

— Você escolheu o nome dela?

— Sim. Mesmo não tendo convivido com ela, eu precisava chamar minha filha por algum nome. Foi minha mãe quem cuidou do processo da adoção, mas pedi que nos registros colocasse esse nome, no entanto, não tenho certeza se os pais adotivos respeitaram minha vontade e o mantiveram.

Percebi que sua face estava mais úmida do que estivera há alguns minutos e não era apenas água da chuva.

— Eu não sei — ela gritou subitamente —, não sei se mantiveram o nome que *eu* escolhi para a Cassie. — Seu choro se tornou abundante. — Às vezes me pergunto onde ela está... e se em algum canto do mundo alguém a chama de Marie, Joanna ou Lucy, talvez. Eu queria tanto encontrar essas pessoas e dizer a elas que ela tem um nome verdadeiro e é Cassandra. Cassie... Minha Cassie.

Sem que eu estivesse preparado para isso, Patrícia atirou-se em meus braços e soluçou por muito tempo.

Aquele definitivamente era um dia atípico. Não apenas para o mundo, que decidira descarregar sua fúria em nós, mas para nós mesmos. Os dramas pareciam ter encontrado a porta aberta.

Abracei-a com muita força para que ela se sentisse protegida. Eu queria que ela soubesse que eu não poderia mudar o que já havia acontecido, mas que faria de tudo — tudo mesmo — para que ela jamais tivesse motivos para chorar novamente.

Quando se desvencilhou dos meus braços, pareceu levemente constrangida, então a puxei novamente para perto e aproximei minha face da sua, olhando-a com intensidade e ternura.

Afastei a mecha úmida que recobria uma parte de seu rosto e vi sua face vermelha devido ao choro, seus olhos inchados, repletos de lembranças e amarguras. Ela estava mais linda que nunca.

– Se Cassie herdou seus olhos, ela é a garota mais sortuda que há. Onde quer que ela esteja, carrega duas pedras preciosas – falei.

Patrícia abriu um sorriso encabulado e afastou-se de mim, fitando o chão cinzento.

Eu não sabia o que estava fazendo, nem conseguia identificar os estranhos sinais que meu peito emitia.

Eu era louco pela Laura.

Consolei-me com o pensamento de que nada naquele dia estava certo. Eu me atrasara e não conseguira chegar à exposição da minha namorada. Então, encontrara Patrícia e tivera que me refugiar com ela em uma construção, na qual tinha a impressão de que havia apenas nós dois no mundo – e nossos passados, repletos de segredos e angústias.

Quando a tempestade passasse e pudéssemos voltar a sentir que fazíamos parte do mundo, talvez toda aquela estranheza que eu estava sentindo também desaparecesse.

A estranheza viera quando eu abraçara Patrícia, quando eu tocara seus cabelos e quando eu a mirara dentro dos olhos. Quando ela se abrira comigo e encontrara abrigo nos meus braços, aquilo pareceu simplesmente... certo.

Olhei mais uma vez na direção de minha amiga, que estava envergonhada. Eu não queria que ela sentisse que havia sido errado se abrir. Eu queria – precisava – que ela soubesse que podia sempre se abrir comigo.

Ela observava a chuva.

Aproximei-me e a envolvi pela cintura, girando nossos corpos em um compasso.

— Você já teve alguma aula de dança em uma construção deserta, escura, com a chuva como única testemunha? – perguntei, mudando o tom de minha voz, querendo soar mais relaxado, o que de fato não estava.

— Na verdade, nunca fiz aula de dança alguma.

Girei-a novamente e anunciei:

— Prepare-se, o professor é exigente.

Ela enfim riu e enxugou o rosto, rendendo-se ao peso dos meus braços que a conduziam. Patrícia era uma ótima aluna, apesar dos pisões no pé e da falta de gingado. Na verdade, ela era uma péssima aluna, mas aquele foi um dos momentos mais lindos que já vivi.

A melhor dança que já dancei (lembre-se de que eu danço desde antes de nascer). A música tocada era simplesmente a melodia da chuva e dos nossos risos.

Durante todos aqueles instantes, esqueci-me dos problemas e voltei a ser eu mesmo. A alegria de viver estava lá, era parte de mim, como jamais deixara de ser. Tenho certeza de que o mesmo aconteceu com ela. A amargura dera lugar a novos sentimentos dentro de seus olhos.

Já era madrugada quando a chuva passou. Poderíamos pegar um táxi, mas fizemos questão de ir embora andando. A noite estava fria, nós estávamos exaustos e o caminho não era tão curto assim. Na verdade, embora não tenhamos falado abertamente sobre isso, o motivo daquela caminhada no meio da madrugada escura foi apenas para passarmos mais tempo na presença um do outro – esconder os relógios não me pareceu uma ideia tão idiota agora. Eu esconderia todos os que havia no mundo.

10
Matthew

Eu já a havia procurado nos lugares óbvios.

Primeiramente, em sua casa, não me esquecendo de checar cada centímetro do ateliê improvisado no local que deveria ser a cozinha, já que Laura fizera questão de que nós três soubéssemos onde guardava a chave de emergência, em um local discreto do prédio, para que entrássemos quando quiséssemos em seu pequeno refúgio. Em um vaso de porcelana médio, com a lateral rachada, que aparentemente ela mesma redecorara, dando-lhe um visual rústico, mas ao mesmo tempo arrojado, que combinava com todo o apartamento, jaziam as flores que eu lhe dera há dois dias, na noite de sua exposição na galeria. E era justamente por causa *daquela noite* que eu estava ali.

Em seguida, a procurara em outros lugares óbvios. O problema era que a Laura nunca era óbvia. Fui à cafeteria da esquina, à loja de materiais artísticos, na qual ela sempre se esquecia do tempo, ao consultório de Patrícia, que ela costumava frequentar nos fins de tarde quando precisava sair um pouco de casa em busca de inspiração, à academia e até à galeria, que ainda abrigava algumas de suas peças.

A casa de seus pais não era uma opção. Nem a considerei.

Segui direto para o apartamento de Diego, mas não havia ninguém ali e isso só podia significar que eles estavam juntos.

Toda essa minha busca infundada, somada ao fato de que ela não atendia o celular, mostrava-me o lugar certo para encontrá-la. Meu palpite foi que a música devia estar alta, e ela como sempre se esquecera de colocar o celular no modo silencioso. Eu estava certo.

Chegando à academia de dança em que Diego trabalhava, fui contagiado por um som extremamente envolvente e animador. Se eu fosse esse tipo de cara, podia jurar que quase me vi querendo dançar. E logo localizei Laura, sozinha na plateia vazia assistindo ao ensaio do grupo.

A risada de Diego e seus gritos animados com a canção podiam ser ouvidos do lado de fora do anfiteatro em que eles estavam.

Típico, pensei.

Caminhei pelo corredor analisando os movimentos de Diego, que fez questão de anunciar e comemorar minha chegada, fazendo com que todos os olhares, de Laura e do grupo de dançarinos que ensaiava, se voltassem para mim.

– Por favor, cavalheiros, não se acanhem com minha presença – falei, gesticulando para que a dança prosseguisse.

Assim eles fizeram.

Não sei o que Diego estava pensando. Eu nunca havia ido a algum de seus ensaios. Mas, olhando bem para ele, pensei que talvez nem estivesse pensando a respeito disso, pois estava completamente envolvido em sua dança.

Sentei-me ao lado de Laura.

– Não importa que eu esteja aqui, eles ainda pensam que ele é gay – ela falou rindo e olhando apaixonadamente para Diego. Então, como se percebesse que minha presença ali era no mínimo estranha, analisou-me com um olhar indagativo e perguntou:

– O que está fazendo aqui?

Sua voz estava descontraída. Sentia-me mal por ir até ali e, possivelmente, estragar um momento alegre de seu dia. Mas eu não manteria segredos, sabia que eles poderiam ser a ruína do relacionamento que *nós quatro* construíamos a cada dia.

— Preciso falar com você — eu disse em voz alta, tentando fazer com que ela me escutasse em meio à música.

Notando meu olhar apreensivo, Laura desfez o sorriso e levantou-se. Gesticulou para Diego, indicando a porta que conduzia à cantina da academia. Não sei se ele viu, ou mesmo se notou.

Saímos do anfiteatro, ainda ouvindo a música com clareza. Pelo menos agora podia ouvir também a voz de Laura.

— Você quer alguma coisa? — perguntei, enquanto nos sentávamos a uma mesa da cantina quase vazia.

— Quero saber por que você está parecendo tão misterioso.

Lancei-lhe um sorriso torto e dirigi-me ao balcão.

— Um suco de laranja — pedi.

De volta à mesa, bebi um gole do suco e resolvi ir direto ao assunto, visto que não havia necessidade para mistério ou enrolação.

— Qual desculpa o Diego utilizou para não ir à sua exposição? — perguntei, fitando a expressão fechada de minha amiga, que respondeu com firmeza.

— Ele teve um compromisso, relacionado a... Escute, Matt, Diego se abriu comigo e me contou algo importante sobre sua vida, mas não posso revelar, desculpe. O sumiço dele naquela noite tem a ver com isso. Eu o entendo e, apesar de quase o ter matado na manhã seguinte por ter sumido a noite toda, sei que a chuva fez com que ele não tivesse meios de chegar até a galeria, já que havia se atrasado.

— Então você sabe do segredo?

Ela confirmou com a cabeça, mostrando que não pretendia continuar com aquele assunto. Admirei por um instante sua lealdade.

— Eu conheço Diego há mais de um ano agora. Sei que é um assunto sério, mas nunca insisti para que ele me revelasse nada, entendo que ainda não tenha chegado o momento de ele me contar o que esconde. Você é a primeira garota que ele leva a sério, acho natural que tenha lhe contado — prossegui. — De qualquer forma, essa desculpa que ele deu não condiz com algo que descobri.

Laura encarava-me, direcionando a mim toda sua atenção, que irradiava a partir de um olhar forte, de uma mulher decidida e inabalável. Eu nunca havia reparado no quanto era bonita.

Talvez o que eu estava prestes a revelar se tratasse apenas de aparências ou desconfianças de minha parte.

Talvez, após tantas perdas que sofrera na vida, tenha aprendido a ser cauteloso demais, desconfiado demais, sempre temendo que a felicidade não fosse durar e que, a qualquer momento, alguém surgisse para tirá-la de mim e afogar-me em um mar de tristezas novamente. *Talvez*.

Quebrei os breves instantes de silêncio, nos quais analisamos as faces um do outro.

– Diego mentiu. Ele não voltou direto para casa depois do compromisso que alegou e que o havia atrasado.

– Não? O que você está dizendo?

– Ele passou a noite com Patrícia.

11
Laura

Eu sentia que carregava um peso enorme. Claramente isso não se devia à caixa que tinha em minhas mãos, com as últimas peças que deixara em exposição na galeria.

Era hora de recolher o que havia restado, não apenas ali, à vista de todos, mas por dentro. Havia algo ali, se contorcendo, que eu precisava pegar e levar embora, para longe.

Mas como, se eu nem sabia de que estava falando?

Não é sem razão que sempre fui considerada a doida rebelde da família. A ovelha negra constantemente embarcada em uma viagem de LSD. *Vinte-e-quatro-horas-por-dia*, como minha mãe gostava de enfatizar. Não era uma situação transitória.

A caixa estava lotada com todos os tipos de coisas. Dessa vez, estou falando da caixa que segurava nas mãos. Minhas peças eram diversificadas e sem qualquer tipo de padrão, como eu mesma. Não pude evitar sentir raiva de mim por ter calculado errado o tamanho da caixa e levado uma menor que o necessário.

O segundo vaso preferido que eu decorara na vida – o primeiro abrigava as flores de Matthew em meu apartamento – estava no topo dos demais objetos, totalmente desprotegido devido à falta de espaço. E foi justamente ele o único afetado quando trombei com alguém que veio em minha direção.

– Laura, oh, me desculpe! – Ouvi a voz delicada de Hanna, uma das principais coordenadoras da galeria, responsável por sempre me dar a oportunidade de mostrar meu trabalho ao público. Eu sabia que os benefícios que ela havia me proporcionado nos últimos anos eram maiores que qualquer dano, entretanto, não consegui deixar de murmurar uns palavrões ao ver os cacos de meu estimado vaso espalhados no chão frio da galeria.

Cada peça para mim tinha valor inestimável. Cada uma delas fora minha companheira por horas – ou dias, semanas, meses, dependendo do trabalho – que jamais voltariam, ouvira meus lamentos sem se queixar e, no final, tornara-se a guardiã de um pedaço meu, deixando de ser apenas uma obra de arte.

– Deixe-me ajudá-la – disse Hanna, ainda mais sem jeito.

Vi quando ela correu para fora da sala de exposição e voltou logo em seguida com uma caixa menor.

– Para você guardar os cacos. Eu realmente sinto muito.

– Não foi sua culpa – suspirei.

Estava comovida com a atenção de Hanna e arrependida por meu comportamento, que fizera com que ela se punisse pelo ocorrido.

Coloquei os cacos na caixa menor que ela trouxera, com esperança de poder aproveitá-los de alguma forma depois. Hanna me conhecia, por isso trouxera a caixa sem cogitar jogar os cacos fora. Pensando nisso, enquanto caminhávamos para fora da galeria – eu, segurando a caixa pequena com os restos de meu vaso, e Hanna, segurando a caixa maior com minhas demais peças, o que ela gentilmente se oferecera para fazer – falei:

– Acho que é disso que minha vida está precisando.

Percebendo a expressão confusa de Hanna, continuei:

— Estou com o pressentimento de que há algo de errado, sabe? Como se uma parte de mim também estivesse quebrada. Preciso reunir os cacos e arrumá-los, só não sei por onde começar.

— Você pode começar me contando o que está acontecendo.

Eu confiava em Hanna. Ela era a única amiga que eu tinha além do nosso grupo. Nossas conversas passaram a ir além de artes e exposições quando Patrícia viajou, motivando-me a abrir meus problemas a outras pessoas.

Hanna era casada e mãe de um garotinho lindo de três anos e jamais topara sair para dançar ou beber comigo, mas já me emprestara seu ombro amigo e seus ouvidos em diversas ocasiões, assim como eu também já fizera com ela. Aquela, sem dúvidas, era mais uma dessas ocasiões em que eu precisaria de seu socorro.

Após deixarmos as caixas no banco de trás de meu fusca azul, caminhamos até o parque, que ficava em frente à galeria, e procuramos um banco vazio. Assim que nos sentamos, contei a ela absolutamente tudo o que Matt dissera.

Hanna costumava ser detalhista, do tipo de pessoa que não acredita sem ter provas. Foi direto ao assunto:

— Mas e como Matthew sabe que eles passaram a noite juntos?

— No dia seguinte, ele foi ao consultório em que Patrícia trabalha. Ela estava ocupada, então ele aguardou até que terminasse a consulta e pudesse vê-lo. Nesse meio-tempo, conversou um pouco com outra dentista que trabalha lá, a Daniela, e ela lhe contou os detalhes do que vira.

— E quais foram esses detalhes?

— Ela saíra tarde do consultório naquela noite, mas já estava acostumada. Ficou surpresa de ver mais alguém ali, quando encontrou Patrícia pelo corredor. Em seguida, ambas foram embora. Parece que ela mencionou se lembrar muito bem dos detalhes, pois utilizara o elevador para descer e, estranhamente, notou que Patrícia descera pelas escadas. Elas não se cruzaram, já que Daniela saiu um pouco atrás, mas disse ter visto quando um rapaz com a descrição exata de Diego entrou no carro de Patrícia. Matt mostrou uma foto de Diego que tinha no celular e ela o reconheceu.

— E por que ela falou tudo isso?

— Patrícia não gosta muito dela. Diz que Daniela é uma víbora e arruma confusão com todo mundo que trabalha lá. Eu arrisco dizer que, ao ver um rapaz desconhecido no carro de Patrícia, ela fez questão de contar tudo a Matt para causar intriga.

— Mas e se ela apenas deu uma carona ao Diego?

— Matthew ficou apreensivo com o sumiço de ambos naquela noite, e foi até o apartamento de Diego após a exposição. Já era tarde da madrugada, e não havia ninguém ali, então, ele foi ao de Patrícia e também o encontrou vazio.

— O que ele fez depois? — Hanna quis saber.

— Ele tem uma cópia da chave, portanto, entrou e esperou por ela, que só chegou muito tarde e contou uma história estranha, que o carro tinha quebrado e ela se refugiara da chuva em um hospital, mas sem mencionar Diego. E Matt havia caído no sono quando ela chegou, então, ele não viu se a namorada chegou sozinha ao apartamento.

— Você mencionou um fato interessante antes. Será que o Diego estava com ela nesse hospital?

— Creio que não. Se fosse isso, por que mentiriam? Nenhum deles mencionou que esteve com o outro. Porém, o carro dela realmente estava quebrado. Pelo menos parte dessa história é verdadeira. Matthew foi buscá-lo no dia seguinte, levando a chave reserva que ela tinha em casa, e era exatamente numa rua em que havia um hospital.

— Compreendi tudo o que me contou até aqui — Hanna falou, fitando-me e remexendo nos cabelos loiros —, porém não entendo por que o Matt pensa que eles passaram a noite juntos. Ele tem alguma prova?

— Não exatamente. Ele ligou os pontos: primeiro, Patrícia e Diego sumiram na noite da minha exposição e, pelo que ele checou pessoalmente, não passaram a noite em seus apartamentos. Depois, a colega de Patrícia diz que os vê juntos no carro dela mais cedo, naquele mesmo dia. Eu sei que isso não prova nada, mas Matt insiste que há algo de errado. Parece que ele tem pressentimentos, não sei, e disse algo sobre a forma como Patrícia e Diego se olham.

— E mesmo assim, sem provas, ainda há algo nessa história que está lhe incomodando...

— Eles são nossos amigos, não entendo por que não falaram a verdade completa.

— E vocês perguntaram a eles?

— Não — falei prontamente —, eu fiz Matt jurar que não irá questioná-los. Estive perdida por tanto tempo na vida. Agora que começo a me encontrar, não quero que as coisas mudem. Estou aflita comigo mesma, na verdade, por sentir como se algo estivesse se rompendo. Mais uma vez.

Ela olhava-me desconfiada, por isso continuei a me justificar:

— Não posso arriscar confrontá-los e pôr em risco nosso relacionamento. Tenho medo de que seja o que for que esteja fragilizado nessa história se rompa de vez e eu jamais encontre a cura novamente.

— Sei que você já passou por momentos difíceis.

Não fora apenas durante as rodadas de tequila que eu dividira minhas experiências ruins com alguém. Hanna também sabia, parcialmente, que minha adolescência fora complicada. A tentativa de suicídio era apenas um acontecimento de uma época recheada de brigas familiares, antidepressivos, reprovações nos estudos e até clínicas de reabilitação.

Patrícia fora a única que ficara ao meu lado. Era a única amiga que eu tinha naquela época e continuou a ficar do meu lado. *Sempre.* Sem me julgar ou ofender. Ela não esteve apenas nos momentos bons ou ruins, mas também nos momentos em que, com muita luta, me reergui. A amizade de Patrícia era tudo o que eu tinha naquela época, e ela significava tudo para mim.

Agora eu me orgulhava de dizer que também tinha Diego e Matt, que haviam trazido alegria e um sentido novo a simplesmente tudo. Eu não iria arriscar. *Jamais*. Os três eram importantes demais para mim, e só eu podia compreender o quanto.

Agradeci a Hanna pelo seu tempo e fui embora. Enquanto dirigia o fusca azul, liguei o som em volume alto, deixando que os pensamentos me invadissem.

Se havia algo de errado, provavelmente era comigo, como sempre fora. A ovelha negra. E iria remendar as peças sozinha, sem envolver meus amigos e meu namorado – Diego era, sim, meu namorado – em meus remendos. Só mostraria a eles as partes já coladas.

Era esse o principal motivo de eu gostar tanto da noite. No silêncio e frio da madrugada, eu sentia que tinha poder. Era como se o mundo silenciasse e eu pudesse regê-lo, como se eu tivesse controle de tudo.

Quando, na verdade, não tinha controle de nada.

Nada.

12
Diego

Matthew nunca gostou de sinuca e, por mais que tentasse, ele era péssimo naquilo. Eu, particularmente, gosto do jogo, embora prefira as cartas. Conhecendo meu camarada há um bom tempo, diria que achei inusitado quando ele me ligou mais cedo com essa programação estranha.

– Claro – eu havia dito.

Jamais recuso os convites de Matt, pois o cara é como um irmão para mim, mas que estava estranha aquela noite, isso estava.

A desculpa que ele dera quando nos encontramos no estacionamento do bar fora de que nossas namoradas estavam reunidas na casa de Patrícia para uma "noite das garotas". É claro que eu já sabia daquilo. E era ainda mais óbvio que eu aprovava uma "noite dos garotos" também, embora a sinuca me soasse como a primeira coisa que passou pela cabeça de Matt, sem muito planejamento.

– Sempre almoço ali na frente – disse ele, apontando para um restaurante simples e pequeno na quadra ao lado.

Quando entramos, confesso ter ficado um pouco decepcionado. Esperava boa música, cerveja gelada e um bar cheio de gente animada. Isso seria uma "noite dos garotos", mas ao contrário: o local estava vazio, não fosse por um senhor de bigode volumoso atrás do balcão, que pareceu desanimado com nossa chegada. Tenho certeza de que tudo o que ele queria era ir para casa. Com certeza, tratava-se de um funcionário. Se fosse o dono do local, já teria fechado há horas. Aliás, será que o dono tinha consciência da falta de popularidade do seu estabelecimento?

Apenas uma mesa estava ocupada. Três senhores, suficientemente embriagados para não perceberem nossa entrada, riam e contavam piadas sem nexo.

– Queremos jogar – disse Matt para o suposto funcionário.

Quando já estávamos ao redor da mesa de sinuca, com nossas respectivas garrafas de cerveja, tentei animar o ambiente, que se tornava mais depressivo a cada instante:

– Ei, cara, você pelo menos sabe jogar isso?

Matt deu uma risada sem graça e posicionou-se.

Olhei ao redor, sentindo-me frustrado por meu bom e velho amigo não ter percebido, aparentemente, a joça para a qual nos levara.

– Depois, se você quiser, podemos ir até o cemitério, ver se alguém está sendo enterrado. Deve ser tão animador quanto isso – brinquei.

Matthew não riu. É óbvio que ele não riu. E eu sou um grande idiota.

Meu amigo perdera a família toda, ele jamais acharia graça de uma piada sobre cemitério. Se bem que, por suas expressões naquela noite, eu arriscaria dizer que nenhuma piada o faria rir. Ele costumava ser mais sério que eu, mas sempre fora agradável.

A pouca noção que existe em meu cérebro me mandou calar a boca e jogar, para não deixar a noite ainda pior.

Assim, Matt e eu tentamos jogar um pouco de sinuca. O jogo em si foi um completo desastre. Mas pior ainda foi a primeira frase que ele disse quando a partida já estava iniciada.

– Eu já lhe contei por que minha irmã se suicidou?

Naquele momento, me senti o ser mais insignificante do mundo. Como eu poderia ter feito uma piada sobre cemitério? Era óbvio que eu fizera Matt pensar no assunto. Perdia a conta de quantas vezes me

chamei de idiota em silêncio. Então, lembrei que ele de fato estava esperando por uma resposta. Limitei-me a dizer:
– Não.
– Ela descobriu que o marido a estava traindo.
Virei todo o restante da cerveja em um só gole e algumas gotas caíram pelo meu queixo, mas não me importei.
– Mais uma! – gritei para o bigodudo do balcão, agitando a garrafa vazia.
– Você está bem? Está um pouco pálido. – Ouvi a voz de Matt se dirigindo a mim.
– Estou. Você quer outra? – perguntei, apontando para sua garrafa de cerveja. – Acho que Bigode não me ouviu.
– É esse o apelido dele?
– Poderia ser.
Pela primeira vez, Matt esboçou uma pequena risada. Afastei-me por alguns segundos para pegar duas cervejas com Bigode que, sem dúvidas, também não estava em um bom dia.
– Desilusões amorosas? – perguntei a ele.
– Sempre. Sempre as mulheres! – Bigode disse, passando as cervejas com desânimo.
Voltei para o local em que Matt me aguardava, sem perceber que Bigode me seguira.
– Essas serão as últimas cervejas. Eu vou fechar o bar – ele resmungou.
– Ora, Bigode, não queremos incomodar, mas nossas namoradas resolveram fazer um programa sem nós. Somos dois solitários desajeitados esta noite e tudo o que temos é você! E suas cervejas!
Matthew definitivamente estava rindo. Era como se meu querido amigo, que eu conhecia tão bem, também houvesse me reconhecido em meio às minhas piadas sem graça. Ele sabia que podia ficar à vontade em minha presença, sentir-se em casa.

Bigode, aparentemente não se importando com o apelido, apoiou-se na mesa de sinuca.

– Pelo menos vocês são jovens. E têm namoradas. Não é o meu caso.

– Então por que suas mãos estão vazias?

Bigode imediatamente pegou uma garrafa para si e ficou a contemplar nosso jogo.

– Vocês são ruins demais! – ele falou, soltando uma risada que parecia, no mínimo, o resultado que eu teria se contasse minhas piadas para um porco e um cavalo simultaneamente.

É claro que as consequências daquilo foram que Bigode expulsou os três velhos bêbados que estavam no bar, fechou as portas e passou a nos dar dicas de sinuca, além de não interromper o fornecimento de álcool. A noite teria acabado de forma cômica e divertida, não fossem os olhares de Matt.

Eu com certeza não sabia o que estava acontecendo com ele. Era como se estivesse medindo meus movimentos, minhas palavras.

Seus risos contidos não espantaram a frieza da noite, assim como minhas piadas desajeitadas logo deixaram de surtir efeito. Seus olhos, por sua vez, fiscalizaram-me indiscretamente o tempo todo. No começo fingi não ver. Era a primeira vez que me sentia estranho em sua presença. A sensação foi horrível, mas, no fim da noite, já sem qualquer tipo de discrição por parte dele, eu não pude mais negar a mim mesmo. Alguma coisa estava acontecendo. Era meu amigo que estava ali, eu o conhecia! Ele devia estar sentindo a falta de Patrícia e não estava se adaptando a sua ausência. Só podia ser isso! Ou então, assim como eu, ele também teria seus segredos?

Depois que Bigode se juntou a nós – graças a Deus, fazendo com que ao menos as revelações sobre a tragédia familiar parassem –, o papo foi sobre mulheres. Contei sobre Laura, sua genialidade e rebeldia artística.

Contudo, nada se comparava à paixão exagerada que Matt colocou em cada palavra ao falar de sua namorada. Patrícia foi tão enaltecida que me perguntei o que ela diria diante de tantas declarações de amor feitas por um namorado carrancudo, embriagado e ruim de sinuca. Aliás, peguei-me pensando o que Patrícia estaria fazendo naquela noite.

Patrícia *e Laura*, eu quis dizer. É claro.

13
Patricia

Eu havia comprado um chapéu novo. Azul. Isso era uma indireta para a próxima cor que eu queria que a Laura pintasse meu cabelo. Azul-turquesa, na verdade, a exata cor do céu naquele fim de tarde.

Havia achado maravilhoso o novo tom azul-marinho que ela dera aos próprios fios e pensei que a mesma cor, em tons mais claros, combinaria comigo. Na verdade, eu iria querer apenas algumas mechas, pois não estava pronta para tamanha ousadia.

Olhei para o alto por um instante. A ausência total de nuvens parecia imprópria e obscena agora, contrastando com um certo dia que não saía da minha mente. Um dia em que o mesmo céu estivera tão denso e carregado que todos os possíveis tons de cinza me deixaram atormentada. No bom sentido. *Eu estivera ao lado de Diego.*

Por algum motivo infame, aquele dia da tempestade não saía da minha cabeça.

O céu azul começava, ao longe, a tornar-se laranja. O sol se poria em breve. As nuvens, contudo, não vinham, e as que coroavam meus pensamentos, por sua vez, não iam. *Não iam embora.* Diego estava em minha mente, na qual uma tempestade desabava sem piedade desde a noite em que estivemos naquela construção, nos refugiando de um mundo que jamais aprovaria meus mais recentes pensamentos. Uma batida à porta me trouxe de volta à realidade em um sobressalto. Abri a porta e encarei Laura por uma fração de segundos. Quase pude ouvir os trovões da minha mente e a tempestade que não cessava. Ela sorria para mim, segurando uma caixa das mais variadas besteiras para comermos e a vodca da qual mais gostava.

Eu fizera patê de azeitonas pretas, o seu favorito.

*Por quê? Por que aquela tempestade não me deixava para sempre? Eu não queria, n*ão podia continuar a pensar naquilo...

Laura tirou os sapatos e andou por minha sala. Reparei que ela fizera uma nova mecha roxa nos cabelos, entre todo aquele azul. Estava linda. Eu amava minha amiga por completo, não queria nunca a magoar. Jamais a magoaria, jurei a mim mesma.

– Está tudo bem? – Ouvi a voz de Laura vindo em minha direção, suave, mas atingindo-me feito um tornado.

– Sim, claro – falei, tentando parecer casual –, estou animada para a noite das garotas.

Logo, o sol se pôs e a noite chegou, encontrando-nos entre risos, conversas, esmaltes, copos de vodca e pãezinhos com patê de azeitonas pretas.

Laura parecia animada, embora, às vezes, eu sentisse que havia algo mais que ela queria me dizer. Ela já havia cortado as pontas cor-de-rosa dos meus cabelos, tirando a coloração antiga, e feito as novas mechas azul-turquesa.

Eu a conhecia mais do que a mim mesma. Estivera presente em seus piores momentos e nos melhores também. Em cada um deles. Sabia que, fosse o que fosse que seus risos estivessem escondendo de mim, no fundo, ela também me compreendia. Ela me lia como ninguém.

Laura *sabia*.

De alguma forma, ela sabia de tudo. Ela sentia a chuva que caía dentro de mim.

A noite, aparentemente, foi agradável, apesar das palavras não ditas. Ambas fizemos o que mais gostávamos: falamos de nossos namorados

– incluindo conversas indiscretas –, falamos mal de nossos colegas de trabalho e relembramos momentos hilários pelos quais já haviamos passado, principalmente os mais embaraçosos de nossa adolescência. Eu me sentia em casa ao seu lado. Rimos a noite toda e, com o passar das horas, a vodca cumpriu seu papel e a pequena estranheza por trás de nossos olhares deixou de ser inconveniente.

Cada menção a Diego e à paixão avassaladora e crescente que ela sentia por ele fizeram meu coração acelerar, até que, na madrugada, deixei-me perder em meio àquelas palavras. Eles estavam juntos, e eram meus amigos. Aquela era a realidade.

Já era tarde. A vodca chegou ao fim, assim como o patê de azeitonas pretas, quando Laura e eu nos deitamos no chão, zonzas, sem conseguir parar de rir, e ficamos falando sobre a vida e sobre o amor.

Só percebi que dormíramos ali mesmo quando um raio de sol entrou pela janela e me acordou. Laura estava adormecida ao meu lado. Minha cabeça girava.

Olhei pela janela, o céu estava limpo mais uma vez. O mesmo azul-turquesa que estampava meu chapéu novo – perdido em algum canto da sala bagunçada e que cheirava à ressaca –, mas que continuava a ser um desastroso contraste à tempestade que não se ia de mim.

Olhei para o rosto de Laura por um instante. O silêncio da sala berrava em meus ouvidos. Eu estava em pânico ao constatar que nada, nem mesmo uma boa e divertida noite das garotas, espantava os sentimentos cruéis de dentro de mim.

Seria o fim.

Ou o começo.

Eu não conseguia prever.

14
Diego

Comecei a ter pesadelos depois da noite da sinuca com Matt. Meu sono passou a ser agitado, tal qual uma *tempestade*, com cenas diversas, que sempre me levavam a acordar confuso e mergulhado em meu próprio suor. Às vezes eu sentia como se tivesse sido acordado pelas marteladas de meu coração, que retumbavam com força, trazendo-me de volta. Eu não sabia o que estava acontecendo. Ou talvez soubesse, mas tinha medo do que tudo aquilo podia significar e, principalmente, do que poderia trazer às nossas vidas.

Menti quando disse que não choro. Na verdade, não menti, apenas exagerei. Eu choro, sim, mas em raras ocasiões. O que mais me assustava era que muitas noites eu acordava sentindo tanto medo de meus próprios sentimentos que tinha vontade de chorar. Não era de tristeza, era de desespero mesmo. Eu temia que a tempestade não tivesse passado, mas que estivesse apenas chegando à minha vida. Às *nossas* vidas.

Os sonhos sempre envolviam Matt, Patrícia e Laura. Meu amigo lançando-me olhares furiosos, mais claros e diretos que aqueles que lançara na noite da sinuca. Nos pesadelos, seus olhos sangravam em minha direção e ele esticava as mãos para alcançar-me, enquanto eu me perguntava desesperadamente o que ele faria caso me alcançasse. Então, eu fugia. Muito. Corria até perder o fôlego. E quando me dava conta,

Matt havia desaparecido e eu estava correndo atrás de Patrícia, tentando trazê-la para junto de mim, mas ela sempre se perdia. Eu não podia tê-la. Era como uma estrela distante no céu, que eu buscava sem rumo e completamente incapaz de tocar.

Nas noites mais confusas, eu ainda ouvia a risada de Laura e o som de seus pincéis deslizando sobre telas. Esse era o pior dos pesadelos. Ela não tentava me alcançar, assim como também não fugia de mim, porém, eu sentia meu coração quebrar-se em milhares de caquinhos ao ouvir o som de sua risada e ter a certeza de que aquele som não se repetiria, tamanha a tristeza que eu traria para sua vida. Então, quando Laura se virava, eu via que ela fizera uma pintura com sombras, tons escuros e desenhos indefinidos, representando medo, pavor, perda e talvez até morte.

Sempre que eu acordava desses pesadelos, não conseguia voltar a dormir. Ficava horas na cama tentando compreender o que estava acontecendo, e todas as vezes que eu chegava a alguma conclusão, temia que ela estivesse certa.

Meu coração parecia uma bússola quebrada, apontando apenas para uma direção. Ele sabia qual era meu norte e onde ele estava, não mudaria a indicação por nada nesse mundo. Um pobre e teimoso coração, que não tinha dúvidas do que queria, assim como eu não tinha dúvidas do destino para o qual ele me levava.

Contudo, acima do próprio medo, eu via o sol nascer após as noites de pesadelos, tendo a certeza não apenas do que queria ou para onde estava indo, eu tinha a mais absoluta certeza de *quem* eu queria.

Infelizmente, não era minha namorada.

15
Laura

Cheguei em casa animada naquele dia. As conversas com Patrícia durante a noite das garotas haviam me lembrado do tanto que a adoro e de como deveria lutar por nossa amizade. O fato estranho da noite da tempestade já era passado e talvez apenas uma neura infundada de Matthew. Eu queria olhar para a frente.

Eu e Diego, ela e Matt, sempre juntos. Era só isso o que eu queria e o que eu pedia à vida.

Além de minha arte, é claro. Abri o ateliê e comecei a trabalhar. Não parei para comer, para descansar, ou mesmo para atender o telefone, que tocou algumas vezes.

Fiz uma pintura para Diego. Desenhei as curvas de seu corpo em movimento. Apenas o corpo. A figura não tinha cabeça, mas qualquer um saberia que era ele, pelo rebolado que consegui transpor à tela e pelos detalhes sutis de seu abdômen. Moreno, bem delineado. Tão perfeito e tão certo para mim. Chamei o quadro de *Meu amor, latino*. Foram horas infindáveis que me despejaram em momentos maravilhosos junto aos pincéis e às tintas. Valeu a pena. Quando terminei, já era noite, então comi algo e finalmente chequei o telefone. Matt, Patrícia, Diego e minha mãe haviam me ligado. Eu iria retornar todas as ligações, menos a última, pois não estava com saco para aturar a estupidez da senhora Beatriz, minha mãe. Não havia uma vez que nos falássemos e não houvesse uma discussão. Ela diria que queria me ver, conhecer meu trabalho, fazer parte da minha vida e blá-blá-blá, e tudo o que eu teria a dizer era que não me sentiria confortável com aquela aproximação.

Minha adolescência fora difícil, mas talvez não tivesse sido tanto se eu pudesse ter contado com seu apoio e não com seus julgamentos. A mágoa ainda era grande e isso não era apenas culpa minha.

Retornei as demais ligações, deixando a melhor para o fim.

– Posso saber o que você fez o dia todo? Eu já estava indo até aí... – Diego disse do outro lado da linha.

– Estava trabalhando. Acho que você vai gostar. Tenho uma surpresa para você.

– Adoro surpresas. Estou indo agora mesmo...

– Não! – berrei. – Quero dizer, claro que você pode vir. Mas não quero que veja a surpresa agora. Daqui a poucas semanas farei uma nova exposição e quero apresentar meu novo trabalho nela. Quero que a tela que fiz hoje seja o centro das atenções e que você a veja rodeado por muitas pessoas, para que elas sejam testemunhas...

– Testemunhas do quê, bebê?

– Dos meus sentimentos. *Nossos*. Nossos sentimentos.

Aquilo era o máximo que eu falaria. A tela expressaria meus sentimentos sem que eu precisasse traduzi-los em palavras – sempre insuficientes.

Desligamos e combinamos de nos encontrar na manhã seguinte para um passeio junto a nossos amigos e, uma vez que eu odiava acordar cedo, pensei em ir dormir o mais breve possível.

Fiquei um tempo admirando o *Meu amor, latino* e as curvas de Diego. Queria que ele estivesse ali comigo, abraçando-me. Por algum motivo era como se nos últimos dias eu sentisse sua falta, pois eu o sentia um pouco ausente. Cobri o quadro e o escondi em um canto do ateliê.

Tomei um banho e fui deitar. O dia passara sem que eu percebesse, ou mesmo sem que abrisse as janelas. Foram apenas eu, a tela, as tintas e os pincéis. Um dia perfeito.

De certa forma, meu amor também estivera ali, junto a mim em cada movimento do pincel sobre a tela. Eu nunca me sentira tão feliz e tive medo de que aquela sensação se dissipasse.

Caí no sono enquanto tentava agarrar meus sentimentos com as unhas para que eles jamais me deixassem. Eram meu cobertor, para todo e qualquer inverno que a vida pudesse trazer. Assim eu pensava.

O despertador quase fez meu cérebro explodir na manhã seguinte. Eu quis atirá-lo contra a parede, mas tive um rápido pensamento de que, provavelmente, iria precisar dele no dia seguinte. Parei o alarme e fui me arrumar.

Tive o ímpeto de fazer uma nova mecha no cabelo, já que estava animada para encontrar o pessoal.

Mas eu não tinha muito tempo. Enquanto ainda terminava de me arrumar, ouvi o barulho do carro de Matt estacionando embaixo da minha janela e, em seguida, as já conhecidas buzinas.

Agarrei minha bolsa e saí do apartamento. Claro que, alguns instantes antes, eu tirara um tempinho para espiar o *Meu amor, latino*. Ele estava lindo e adormecido no ateliê esperando a grande de noite de estreia com a qual eu sonhara.

Após caminhar pelo shopping de mãos dadas com Diego, ao lado do nosso casal de amigos, e de me empanturrar de crepe, tive a ideia de patinarmos no gelo. Não estávamos no inverno, mas a pista do shopping estava sempre lá para quem quisesse patinar em qualquer época do ano. Patrícia adorou a ideia, pois, segundo ela, sentira falta disso durante os dois anos que passara no Brasil. Os meninos, é claro, nos acompanharam.

Diego estava impagável aquele dia! Ele era superdesajeitado com os patins. Demos muitas risadas, principalmente quando ele tentava dançar sobre a pista e acabava com o seu bem-modelado bumbum no chão.

Matt era o melhor patinador entre nós, apesar de eu também ser boa, e adorei trocar de namorado por um instante e patinar decentemente ao lado dele, sempre um cavalheiro. E foi justamente nesse momento que a sensação desastrosa que eu sentira alguns dias atrás voltou a me atormentar. A mesma sensação de quando eu soubera que Diego e Patrícia tinham passado a noite juntos e mentiram para nós.

Inquietação. Talvez essa palavra traduza com certa fidelidade o que eu sentia. Enquanto Matt e eu estávamos em um canto da pista deslizando sobre nossos patins, olhei para Diego e Patrícia, que acabara de levar um tombo feio, aparentemente porque o descabeçado do Diego, que patinava tão mal quanto ela, tentara fazer alguma acrobacia, girando-a pela cintura. No momento em que ela foi ao chão, meu olhar se voltou para eles.

Matt e eu estávamos do outro lado da pista, que era grande o suficiente para que não conseguíssemos ajudá-la imediatamente, mas vi que Diego abaixou-se e segurou a face de Patrícia com delicadeza entre as duas mãos, afastando seus cabelos e sussurrando algo que eu jamais saberia. Poderia ser algo como "você está bem?", ou apenas um "desculpe-me", mas não era em nada disso que minha mente, imunda, estava querendo que eu acreditasse. Suas faces estiveram muito próximas por alguns instantes. E a troca de olhares havia sido intensa, compromissada de alguma forma, de ambas as partes. Senti minhas vísceras contorcerem-se, gritando de pânico e dor. E frio. A felicidade, aparentemente indestrutível, com a qual eu revestira-me na noite anterior, havia desaparecido. Sentia-me nua e desprotegida, sem meu cobertor.

Olhei para Matt. Ele estava com a expressão paralisada, encarando Patrícia e Diego. Parecia que tudo que havia naquele olhar era mais frio que o gelo sob nossos pés e então eu soube que ele também estava com medo.

Por fim, Diego levantou Patrícia e, ao que parecia, ela não se machucara, pois, quando nos aproximamos, já estava rindo com *meu* namorado, que a segurava em seus braços, sustentando o peso de seu corpo para que ela não voltasse a cair.

Eu podia assegurar que ela não era a mais machucada naquele local. Os pensamentos envolveram-me feito uma avalanche que eu não podia mais conter, estava chegando.

16
Laura

— Estou bem — falei sem vontade e, principalmente, sem nem fingir que não estava a fim de conversar. — Tá bom, mãe.

Não pude adiar mais o retorno de suas ligações.

Pelos minutos seguintes, fiquei em silêncio, segurando o telefone afastado alguns centímetros do ouvido enquanto minha mãe implicava sobre ainda não conhecer Diego, sobre não ficar sabendo das minhas exposições, nem ser convidada, sobre não conhecer o apartamento onde moro, etc., etc., etc.

Nada do que ela alegava era mentira. Ela falava a verdade, entretanto, omitia a razão de tudo aquilo; a razão que me levara a afastá-la da minha vida.

Quando cheguei ao fundo do poço, alguns anos antes, tudo o que ela fizera fora me difamar para a família e a vizinhança, dizendo que eu estava louca, que tinha vergonha de mim, e coisas até piores.

Com esforço, com dor e sofrimento, eu passara por tudo sem a ajuda de mamãe e das pessoas que sempre pensei que estariam ali para mim quando eu mais precisasse.

Quando a poeira enfim baixou e me reestabeleci, tendo minha arte como terapia e como um trabalho digno, ela quis se reaproximar. Tentou até mudar seu texto para quem quisesse ouvir, dizendo o quanto tinha orgulho de sua filha, tão independente e talentosa!

Eu a conhecia bem e sabia que sofria com aquela situação. Mais que tudo, eu sabia que ela estava arrependida de verdade e tentando corrigir os erros do passado. Contudo, era tarde para mim.

Algo havia se quebrado. Algo muito delicado, feito porcelana, estava em cacos em meu interior. Mamãe e eu jamais conseguiríamos juntar as peças. Era triste pensar que, dentre todos os meus amigos, eu era a única que tinha a família vivendo na mesma cidade, e isso não era uma vantagem, mas sim um pesadelo pessoal.

Matt não tinha familiares próximos; os pais de Patrícia viviam em outro estado; a família toda de Diego continuava na Colômbia. Mesmo assim, Patrícia e Diego se davam infinitamente melhor com seus pais do que eu com os meus.

Papai parecia ter desistido de mim e raramente me telefonava. Ao contrário de mamãe, que sempre forçava aproximações em vão. Triste também foi a sensação de nostalgia que me bateu quando, ainda segurando o telefone afastado do ouvido (e, ainda assim, ouvindo a voz estridente de mamãe com clareza), lembrei-me de que, em todos os momentos difíceis, e principalmente naqueles em que pensei que não conseguiria seguir em frente, a única pessoa que estivera ao meu lado e que não me deixara desistir fora Patrícia.

A mesma Patrícia que passara a noite com o meu namorado e que, mesmo que não tenha sido de forma romântica, não me contara. A mesma Patrícia que lançara ao meu namorado *aquele* olhar na pista de patinação. Estremeci ao lembrar-me vivamente do olhar. Intenso. Faminto. Feroz. Um olhar que Diego nunca direcionara a mim. Talvez essa fosse a parte que mais doía.

Percebi que mamãe finalizara seu monólogo.

– Aham – limitei-me a dizer. Desliguei o telefone.

A mágoa vinha de todos os lados, como facas afiadas que me dilaceravam a pele nua sem piedade. Minha família, meus amigos, meus sentimentos... Tudo parecia fora de lugar.

Trancafiei-me no ateliê e comecei um novo trabalho. As telas eram, naquele instante, meu único alívio. Por um tempo, não me permiti pensar em mais nada. Nem mesmo no *Meu amor, latino*, que continuava coberto em um canto. Tive medo de olhá-lo, preferi ignorar sua existência. Por tempo indeterminado, ele continuaria exatamente daquela forma, coberto, escondido, assim como meus sentimentos, embora eu soubesse que logo já não seria mais capaz de escondê-los de todos e de mim mesma.

Eu amava o Diego mais do que queria – e podia – admitir.

17
Diego

A música alta chegava silenciosa aos meus ouvidos. Era como se o mundo tivesse enfim se calado para ouvir as súplicas do meu coração. Contudo, eu, que nunca fui bobo, não queria ouvi-lo.

Fiz um movimento para os lados. Eu sabia bem aqueles passos, estava treinando há meses a coreografia, mas ela pareceu teimosa de repente. Ou seria minha mente que teimava em não lhe dar a atenção devida, desviando-se desenfreadamente dos passos marcados e coreografados para uma certa noite chuvosa?

Eu pensava nos cabelos molhados de Patrícia caindo sobre sua face perfeita.

Ah, Deus, não!

Durante a noite, os pesadelos estavam diminuindo à medida que eu aceitava o que eles queriam me dizer e aprendia a conviver com os sentimentos que preenchiam meu ser.

Na verdade, os sonhos ruins tinham sido a única forma que minha própria mente atormentada encontrara para que eu parasse de negar o que estava sentindo. Os sentimentos, em si, eram os mais belos e profundos que existem e tinham tudo para se tornarem sonhos lindos.

Pensei em como Patrícia me contou sobre sua filha, e em como eu quis contar-lhe *tudo*. A verdade sobre mim, sobre quem eu era. O verdadeiro segredo da minha vida, que poucas pessoas sabiam, e que era forte demais para ser contado quando nos conhecemos, jogando Verdade ou Desafio no Beira-Mar. Ah, o Beira-Mar! Desde então, tanta coisa aconteceu... Não, eu simplesmente não podia permitir aqueles pensamentos!

E foi bem aí que a pista de patinação surgiu, como a imagem perfeita de um sonho dentro de mim. O olhar suplicante que ela me direcionara, fazendo com que eu lhe dissesse ali mesmo:

– Nunca falei o quanto você é linda.

Matt e Laura patinavam em nossa direção. Havia sido um erro, eu sei, mas as palavras saíram sem aviso, surpreendendo a mim mesmo. Por sorte, ninguém, além de Patrícia, as ouvira.

E sei que ela as ouviu bem, pois respondeu com o olhar mais profundo que se possa imaginar. Então, nossos amigos – aliás, nossos respectivos *namorados* – aproximaram-se e minhas palavras ficaram perdidas no silêncio que se estabeleceu entre nós por apenas um exato e infinito segundo, na troca dos nossos olhares. Disfarcei, como se nada tivesse acontecido, mas Matt e Laura nos encaravam como raposas à espreita da caça. Era como se eles soubessem o que passava dentro de mim. Será que meus sentimentos eram correspondidos?

Não, não, não! Eu não poderia me permitir!

Pensei nos chapéus. *De todas as cores.* Nos sorrisos. *De todas as graças.* Na forma como ela ajeitava os cabelos quando estava nervosa. Tão... *Não!*

Cada coisinha que ela fazia era um tudo para mim. Cada pequeno gesto.

Isso fazia sentido pelo menos?

Quando foi que tudo aquilo se tornou tão intenso?

Nada daquilo podia jamais *fazer sentido!*

– Diego, você está dormindo?

Ótimo!

A voz do meu colega da equipe de dança foi mais feroz que dez baldes de água fria despejados simultânea e impiedosamente sobre minha cabeça nua. De alguma forma, a resposta para aquela pergunta era "sim". Eu não apenas parecia estar dormindo, como tinha a certeza de estar sonhando. Havia encontrado a forma definitiva de afugentar os pesadelos.

Era o momento do meu solo na coreografia, então fui até a posição central do palco e...

– Não estou me sentindo bem, sinto muito – falei.

– Vá para casa descansar.

Agradeci aos colegas pela compreensão e saí sob os olhares espantados de todos eles. Eu sabia o que todos estavam pensando: eu nunca errava os passos. Mas, acima de tudo, eles deveriam estar se perguntando quem havia roubado minha alma. Eu não fizera uma piada e não dera uma risada durante aquele ensaio.

A ladra tinha nome, eu diria.

Por mais que a imagem de Patrícia no meu cérebro despertasse a vontade de um riso bobo na minha face já idiota, a situação era séria. Eu jamais poderia permitir que alguém soubesse dos meus pensamentos sórdidos.

Pecaminosos.

Vergonhosos.

Matthew era como um irmão para mim, e ele amava Patrícia. Laura era a namorada mais fantástica que um cara poderia desejar e me amava. Eu sabia disso, mesmo que ela jamais tivesse dito com palavras.

Passei a me odiar com todas as forças do meu ser quando saí da academia de dança aquele dia. Fui contando meus passos, que seriam numerosos até que eu chegasse em casa, um por um, dizendo o quanto me odiava a cada segundo.

Até que deixei de contar os passos em algum momento do caminho.

E Patrícia apareceu.

Não na rua, mas em mim.

Ela veio de encontro a tudo que eu estava tentando frear desesperadamente desde o dia da tempestade... Aliás, sendo sincero, era desde antes disso. Não sei quando começou e nem se teve mesmo um início, ou se simplesmente sempre existiu.

Se sempre foi.

Era exatamente isso. Não houve um momento exato em que me apaixonei (ah, como essa palavra doía!) por ela.

Eu sempre estive indo.

E Patrícia vindo.

Odiava-me por não ser capaz de dar meia-volta, de sair correndo, de voltar para onde quer que eu estivesse antes de ela surgir, com sua paixão nos olhos e sua vontade de ser sempre... perfeita!

O caminho pareceu mais curto quando cheguei em casa após tantos pensamentos distraindo-me. A sala me causou calafrios quando olhei para as marcas na parede que *nós quatro* fizéramos. Parecia ter sido há tanto tempo. Em outra vida. Eu parecia ter sido outra pessoa naquele dia em que decoramos meu apartamento. Apartamento que era de Matthew, e que, por ter sido alugado por mim, me dera a chance de conhecer meu melhor amigo.

Eu não poderia traí-lo.

Tomei um banho gelado, na tentativa de exorcizar Patrícia de mim. Se é que se podem exorcizar os anjos... Bem, de qualquer forma, é claro que não funcionou.

Pensei em ligar para minha mãe na Colômbia e gritar *¡Ayúdame, mamá!* entre um choro infantil e piegas. Também não iria funcionar.

Ignorar Laura seria a atitude menos funcional que eu poderia tomar naquele instante. Mas, mesmo assim, assumindo o covarde que aparentemente surgia dentro de mim, limitei-me a enviar-lhe uma mensagem dizendo que não estava passando bem. E quando ela se ofereceu para ir cuidar de mim, digitei as seguintes palavras: "não precisa, vou dormir um pouco".

Pensei, então, em ligar para Matthew. Peguei o telefone e cheguei a discar os primeiros números, sentindo que, afinal de contas, eu não era tão covarde assim, estava enfrentando os problemas de frente.

Mentira.

Eu era ainda mais covarde por querer falar com Matt naquele instante. Seria apenas para certificar-me de que estava tudo bem entre nós, e que eu – ainda – não o havia perdido.

Além disso, ele poderia dizer a Laura que talvez eu não estava tão adoecido assim e que uma visita seria o melhor remédio.

Definitivamente eu precisava ficar sozinho naquele instante.

O amor não merecido de Laura, os olhares confusos de Matthew – dos quais, provavelmente, nem Bigode se esquecera – e os calafrios torturantes causados por Patrícia eram coisas com as quais eu não queria lidar.

Despenquei no sofá, mas só consegui dormir depois de muito sonhar acordado.

18
Matthew

Patrícia abriu a porta com um sorriso torto e desejei com todas as forças que aquilo não passasse de um pesadelo.

Eu jamais poderia perdê-la.

Jamais *iria* perdê-la.

Fiquei repetindo isso a mim mesmo enquanto, antes que qualquer palavra fosse propriamente dita, eu a envolvi em um abraço carente e doentio, tirei seu chapéu fosco, alisei seus cabelos cheirosos com maravilhosas mechas azuis e a beijei como se fosse a última vez. Durante aqueles instantes de pura entrega, não pude pensar em nenhuma pista de gelo. Em nenhuma noite chuvosa que mantinha um segredo entre nós. Ela ainda não sabia que eu sabia. E então, como num golpe dos segundos – que não atenderam meu pedido, e continuaram simplesmente a *passar* –, o conto de fadas se desfez e percebi que a entrega não era tão grande nem tão pura assim.

A *minha* era. Completa, sincera e infindável. Mas Patrícia estava fria. Mais fria que nunca. Ela me beijou, mas percebi que já não parecia me reconhecer.

Aquela constatação fez com que eu interrompesse o beijo, que deveria ser o mais perfeito da minha vida, e me afastasse alguns centímetros dela.

– Que bom que você chegou, já vai começar o filme – ela falou, puxando-me para o sofá.

Ela tentava fingir casualidade, porém, eu sabia das batalhas internas que se formavam dentro de nós. Sorri e acompanhei-a.

No sofá, permiti que ela se aninhasse em meus braços, de forma que eu pudesse acarinhar seus cabelos durante o filme todo, sentindo seu perfume embriagante.

– Veja, Matt, essa é a parte em que eles se apaixonam! Você consegue notar nos gestos, nas palavras... Eu amo esse filme!

Percebi que ela estava divagando, transpondo o romance da tela para sua própria vida.

Sofri mais que um cão faminto e moribundo jogado na sarjeta ao dar-me conta de que, provavelmente, em sua cabeça eu não era o protagonista daquela história junto a ela.

Contorci-me no sofá, como se estivesse com dor de estômago. Tudo doía, na verdade.

– Está tudo bem, querido? Você está tão calado...

– Tudo bem. Quer pipoca?

Levantei-me e fui estourar pipoca, ganhando, assim, alguns minutos para respirar.

Na cozinha do apartamento de Patrícia, onde ela não me via, deixei-me cair sobre uma cadeira e cerrei os punhos com força. Abri a boca e emiti um grito silencioso.

– Matt, você está perdendo o filme! – A voz dela me trouxe de volta.

Eu precisava daquela voz, sempre!

Eu queria envelhecer com aquela voz.

Com aquele perfume.

Com aquele corpo junto ao meu.

– Já vou! – gritei em resposta.

Estourei a pipoca e voltei para a sala.

Patrícia se aninhou novamente em meus braços e percebi que ela estava chorando.

– Você perdeu a parte em que eles são separados de forma terrível...

Perguntei-me se era daquela forma que ela se sentia, se era aquele o motivo das lágrimas. Estaria ela se sentindo separada de quem realmente amava? Estaria comigo por pena?

– Eu te amo – falei.

Ela fitou-me com intensidade. Mas uma intensidade que não pude decifrar. Sorriu timidamente enquanto as lágrimas ainda caíam e tive certeza de que já não eram pelo filme.

Patrícia me abraçou com força, como se eu estivesse indo para a guerra. Talvez estivesse, de alguma forma. Eu só podia afirmar que havia dor e medo naquele abraço. Então, ela me apertou como se aquela fosse, de fato, a última vez. Não suportei aquilo.

– Você está perdendo o filme – falei.

Ela compreendeu o que eu queria dizer e virou-se de volta para a televisão, desvencilhando-se do abraço e livrando-me do inferno que era a sua perfeição tão próxima à minha pele.

Tentei prestar atenção no restante do filme, colocando algumas pipocas ocasionalmente na boca para impedir que pensamentos sombrios estragassem aquele momento com minha namorada maravilhosa.

Era estranho sentir-me tão solitário na sua presença, ainda mais solitário que nos momentos em que eu estava de fato sozinho.

O resultado foi que não consegui prestar atenção em nada, exceto na última cena: *eles* ficaram juntos no final. Será que seria assim na nossa vida também?

Era triste pensar nisso, quando eu sabia que já não fazia parte do "eles".

19
Patricia

Aconteceu quando eu tinha dezesseis anos e fui passar as férias em Londres, na casa da minha madrinha. Tudo era especial lá, eu me sentia em outro planeta. Ficava fascinada com cada prédio que via, com cada comida que provava, e precisava comprar ao menos uma peça de roupa em cada loja que entrava. Aumentei consideravelmente minha coleção de chapéus durante a viagem.

Minha madrinha satisfazia todas as minhas vontades, no entanto, eu sempre queria mais. Mesmo que estivesse tendo dias maravilhosos, ela se sentia mal por não ter ninguém da minha idade para me levar para conhecer a cidade, então, matriculou-me em um curso de férias de fotografia para que eu pudesse conhecer pessoas novas e ter uma ocupação interessante naquelas semanas.

Eu simplesmente amava ir para o curso. Havia pessoas de todos os países e pude aprender um pouquinho sobre várias culturas. Alguns amigos daquela época eu mantenho até hoje, embora, claro, nossa amizade resuma-se a e-mails, redes sociais, e, em raros casos, telefonemas esporádicos.

Em meio a tanta gente legal, em meio a tantas imagens lindas que aprendi a captar da melhor forma possível, eu *o* encontrei. Pode parecer cafona, mas nos tornamos próximos devido aos nossos nomes. Ele se chamava Patrick, e logo nos primeiros dias de curso já fez piadinhas sobre isso.

Patrick era um verdadeiro *gentleman*. Havia nascido na Escócia, mas vivia em Londres havia alguns anos quando nos conhecemos. Ele dizia que sempre aproveitava as férias para fazer cursos de fotografias, pois queria se tornar um profissional e viver das imagens.

Ele me mostrou Londres de uma forma que nenhuma outra pessoa jamais poderia fazer. Levou-me para os mesmos pontos turísticos que eu conhecia, mas contou-me histórias e me ajudou a fotografá-los de ângulos inimagináveis. Os cafés, os museus, os teatros, tudo era diferente em sua companhia. Eu sentia como se ele tivesse tingido a mesma cidade que eu já conhecia com cores novas e vivas. Seu sotaque perfeito, seus cabelos loiros e rebeldes, seu humor polido, tudo nele me conquistou.

Quando chegou o momento de me despedir e voltar para a América, eu sentia que estava deixando um pedacinho de mim com ele. Trocamos promessas de nos falarmos todos os dias e, o mais rápido possível, nos encontrarmos pessoalmente. Mal sabia eu que jamais tornaria a vê-lo.

Eu já estava de volta à casa dos meus pais e ao meu bom e velho colégio quando comecei a perceber os sintomas da gravidez. Tentei negar a mim mesma por uma semana, contudo, por dentro, sabia que era bem possível, como também já estava começando a ter consciência das consequências que aquilo traria.

Uma parte de mim estava com medo, a outra estava feliz, pois acreditei que eu poderia me mudar para Londres e viver para sempre num conto de fadas com um certo escocês aspirante a fotógrafo. No entanto, Patrick também era muito jovem. Ele tinha apenas um ano a mais que eu e também estava começando a vida e os sonhos.

Quando tive certeza de que estava grávida, quis que ele fosse o primeiro a saber. Telefonei num domingo de manhã, após conferir o resultado do terceiro teste positivo. Lembro-me de seu choque com a notícia como se fosse hoje, mas também me lembro da promessa de que ficaríamos juntos e que daria tudo certo.

Os telefonemas, contudo, foram se tornando escassos e a promessa de que ele se mudaria para os Estados Unidos e de que estaria ao meu lado no momento do parto, se tornou vazia.

Uma semana antes do nascimento da nossa filha, não consegui localizá-lo e soube por uma colega do curso de fotografia que ele havia voltado para a Escócia, mas que ninguém sabia ao certo para qual cidade, assim como nenhum de nossos colegas sabia como localizá-lo.

Aparentemente ele fugira. Patrick tinha a intenção de não ser encontrado por ninguém, especialmente por mim. Fiquei devastada. Já andava nervosa com a gravidez chegando ao fim e, com o comportamento fugidio de Patrick, mas ter a notícia de seu desaparecimento fez com que eu passasse a última semana de gravidez chorando, mesmo que me dissessem que aquilo não seria bom para o bebê.

Quando a Cassie nasceu, eu estava tão exausta e com os sentimentos tão destruídos, que a quis o mais longe possível de mim. Pedi à mamãe que providenciasse tudo para sua adoção, pois eu não conseguiria estar envolvida.

Lembro-me bem dos olhos da minha mãe naquele dia. Por mais que não estivesse feliz com minha gravidez precoce, nada a destruiu mais que ter que se despedir da neta. Ela me implorou que deixasse Cassandra aos seus cuidados, mas berrei feito um animal, dizendo que odiava aquela criança, que jamais queria vê-la e que era meu direito querer entregá-la à adoção.

Por anos eu nunca mais falei sobre a criança, já que era como se aquela página tivesse sido arrancada de uma vez do livro que eu escrevia ao viver, e aqueles dois, Patrick e Cassie, fossem um passado morto para mim. Segui minha vida tranquilamente, entrei na faculdade e meus pais nunca ousaram mencionar o assunto também.

Até que não pude mais.

Não pude continuar negando.

Aquilo havia acontecido. Eu tinha uma filha em algum lugar do mundo.

Em um feriado, quando já estava na faculdade e fui visitar meus pais, encontrei mamãe sozinha e, sem muito ensaio, perguntei a ela como havia sido a adoção. Claro que ela ficou surpresa com a menção ao assunto, mas não se importou de me contar tudo o que sabia.

Cassandra havia sido adotada por um casal canadense de missionários, que a levariam para o Brasil, mas não ficariam por lá muitos meses. Isso era tudo o que ela sabia naquela época. E continua sendo tudo o que sei até hoje. Na agência de adoção, qualquer informação é extremamente sigilosa, portanto, eles jamais poderão me dizer qualquer coisa.

Fui até o Brasil após terminar a faculdade, pois consegui um mestrado lá, para o qual já havia me inscrito com intenções de buscar minha filha, mas de nada adiantou.

Provavelmente ela passara apenas os primeiros meses de vida no país com os missionários, como mamãe dissera. Depois, poderiam ir para qualquer outro canto do mundo e estariam sempre se mudando. Seria como tentar pegar fumaça com as mãos.

Essa é minha triste história.

Agora, convivo com o fantasma da rejeição que eu mesma lancei sobre Cassie e com o tormento eterno de nunca saber como ela é, do que gosta, se sabe que eu existo. Qual o som de sua risada, o tom de seus cabelos, a cor dos seus olhos.

Diego me fitava tão intensamente que estremeci.

Ele ouvira meu relato sem interrupção alguma, demonstrando tanta atenção, tanto respeito, tanta confiança, que me senti aliviada por dividir com ele a dor imensa e o arrependimento sem fim que eu carregava.

– Agora você pode dizer que me conhece de verdade – falei, sentando-me ao lado dele no sofá do meu apartamento.

Havíamos ficado alguns dias sem nos ver, desde a pista de patinação, até que ele me surpreendeu com uma visita naquela noite, sem desculpa alguma, apenas querendo me ver.

Encontrei-me totalmente rendida à sua presença e tive a necessidade de terminar a conversa que iniciamos no dia da tempestade, sobre minha pequena Cassie.

Quem era eu para chamá-la de *minha*?

Eu escolhera aquele caminho, e eu – apenas eu – pagava o preço altíssimo daquele erro. Mas falar tudo para ele parecia fazer a dor se dissipar. Era como se ele, apenas por estar ao meu lado, pudesse me redimir.

– E que amo, digo, gosto ainda mais de você – ele respondeu, se aproximando e me envolvendo em um abraço.

Deixei que algumas lágrimas, que estiveram sufocadas durante meu desabafo, caíssem e molhassem sua camiseta colorida.

– Nesses dez anos que se passaram, nunca me envolvi com alguém de verdade. Sempre dava fim aos relacionamentos antes que eles pudessem se tornar estáveis. Não sei se foi apenas por medo. No princípio, sim, no entanto, após tanta decepção causada por Patrick, criei um tipo de escudo ao meu redor, um bem resistente, que não permitia que meus sentimentos fossem revelados. Porém, creio que mais recentemente tenha sido também por não achar a pessoa certa... – confessei, continuando o assunto.

– Agora você está feliz com Matt?

Eu sabia o que havia por trás daquela pergunta de Diego. E, embora fôssemos adultos, não podíamos ignorar o que vinha acontecendo entre nós, assim como ainda não tínhamos coragem para falar abertamente.

– Tenho pensado em terminar com Matthew.

– Sério? – Sua voz saiu um pouco rouca.

– Sim. Mas estou com medo de magoá-lo. Ele não merece sofrer.

– Creio que aquela história de artes e ciências de quando nos conhecemos não tenha sido comprovada, considerando que também estou pensando em terminar com Laura.

Não falei mais nada.

Nada mais podia ser dito naquela noite.

Diego, compreendendo isso, apenas me deu um beijo no rosto e foi embora.

Sozinha no meu sofá aconchegante, na companhia apenas de uma barra de chocolate, estiquei-me, querendo relaxar e não pensar em nada.

Senti algo sob meu corpo e me remexi para ver o que era.

Não entendi. Um mapa?

Aquele papel não era meu, nem estava ali antes de Diego chegar.

Quem ainda usava um mapa?, foi a primeira coisa que pensei.

Rindo dos modos de Diego, que tanto me agradavam, prestei atenção às instruções perguntando-me o que ele queria com aquilo tudo e por que saíra sem mencionar o mapa.

Se bem que aquele era o Diego. Nada precisava fazer muito sentido.

Ele havia saído há alguns minutos do meu apartamento e, se planejava algo, já estava a caminho. Confesso não ter hesitado muito antes de sair de casa, pegar meu carro e ganhar a estrada, sempre de olho no mapa, enquanto ouvia música no volume mais alto possível.

20
Diego

Vi quando o carro de Patrícia estacionou e ela veio caminhando em minha direção até ganhar a areia. O mar noturno estava agitado.

Nós vivíamos a aproximadamente uma hora do litoral e pensei que aquele era o local perfeito para dizer o que tinha que ser dito. E eu estava certo. Não havia ninguém ali além de nós, com a brisa fresca, o mar nervoso e o céu escuro, mas entremeado por pontinhos brilhantes que fizeram eu me sentir vivo.

Ela se aproximou com os cabelos ao vento e a imagem tornou-se ainda mais perfeita quando ela segurou o chapéu para que ele não voasse. Rindo da situação, ela se aproximou.

– O que significa tudo isso?

Não sei se ela se referia ao mapa, ao encontro noturno na praia deserta ou à mesa que eu montara ali na areia próximo ao mar, com diversos tipos de sucos, frutas e pães.

– Significa que você está oficialmente no café da manhã mais excêntrico da sua vida – falei, puxando uma cadeira para que ela se sentasse.

– Mas ainda é noite – ela disse, rindo e meneando a cabeça, como se não acreditasse em tudo aquilo.

– Não no Japão – retruquei.

Patrícia observou-me por alguns instantes, até finalmente voltar a dizer algo.

– Você está falando sério?

– Sim – falei, já sentado em uma cadeira à sua frente e servindo-nos suco –, pode não ser manhã aqui, mas é em algum lugar do mundo, por isso, nada melhor que um café da manhã...

– Não – ela me interrompeu –, não estou falando disso. Estou perguntando se é sério que você me fez vir até aqui, a esta praia deserta, num café da manhã romântico? Nós não podemos fazer isso...

Levantando-se, ela começou a andar pela areia, na direção em que seu carro estava estacionado a alguns metros. Eu sabia que ela estava certa, mas já não podia me controlar.

Passara os últimos dias evitando falar com Laura e Matthew, mas apenas adiara nossa conversa. Eu terminaria meu relacionamento com Laura e, por mais que isso fosse machucá-la, era a coisa certa a fazer. Quando Patrícia disse que também terminaria com Matt, senti que podia haver alguma chance para nós.

Eu não queria perder meus amigos, mas também não conseguia lutar contra o que sentia.

O problema era que, todas as vezes em que pensei em terminar com Laura, arrumei alguma desculpa para desistir, pois eu tinha muito medo do que aquilo fosse custar: a amizade dela e de Matt, e ambas eram essenciais para mim. Será que era tão egoísta da minha parte não querer mais ser seu namorado, mas não querer perder sua amizade?

Além disso, eu me importava com ela, e sabia que não seria fácil. Estava com medo, estava assustado. Pensei que, se tivesse aquela noite para conversar a sós com Patrícia, naquele cenário sombrio e fantástico, teria forças para encarar Laura e Matt no dia seguinte e dar o rumo certo para a história de *nós quatro*...

Aparentemente, cada passo de Patrícia que a levava para mais longe de mim também lhe trazia pensamentos. Às vezes, ela parecia titubear, como se quisesse voltar.

A dança do mar me fez querer mais que tudo a envolver em meus braços e dançar até o amanhecer.

Mas ela continuava a se afastar de mim...

Até que se virou e começou a voltar.

Eu estava em pé na areia, ao lado da mesa, sorrindo para ela.

Lentamente, um passo após o outro, ela se reaproximava. Comecei a caminhar também. Era, sim, uma dança de certa forma.

Eu não conseguia parar de sorrir.

Caminhamos um em direção ao outro, como sempre deveria ter sido. Nossos corpos se encontraram e segurei seu rosto entre minhas mãos, encostando minha testa na sua.

O mar agitado e sua brisa suave nos envolviam como um abraço. Foi lindo.

– Eu não posso... – ela disse.

Levei meus lábios até os seus. Eles estavam quase encostados, quando ela repetiu em um sussurro:

– Não posso...

Beijei-a com meu corpo, com minha alma e com todo o desejo do mundo. Primeiro, de forma feroz e desesperada; então, de forma lenta e apaixonada, transmitindo a ela tudo o que eu sentia e tudo o que as palavras jamais poderiam dizer. Pude sentir sua paixão também. E todas as suas vontades. Se aquilo não era certo, ninguém jamais poderia dizer. Pareceu certo, fez-se sentir certo.

Durante todos aqueles instantes, esqueci-me de qualquer outra pessoa do mundo. Aliás, esqueci-me do mundo em si, pois estávamos em nosso próprio universo.

Quando nos separamos, fiquei alguns segundos olhando dentro de seus olhos e sentindo que eles possuíam tudo de que eu precisava para viver. Para sempre.

Então, meu olhar se deitou em seu pescoço, atraído pelo brilho metálico de seu colar, o pingente que representava que Cassie estava sempre ali.

– Quero ser parte da sua vida – falei, lembrando-me de tudo o que ela me dissera mais cedo, do quanto se abrira comigo.

– Você já é.

Sorri com aquilo. Ela já era minha vida, de uma forma que me assustava, tamanha a intensidade de tudo.

– Há algo que você precisa saber sobre mim – deixei escapar, sem pensar se aquele era o momento adequado para minha revelação.

Por sorte, Patrícia, colocou o dedo indicador sobre meus lábios, silenciando-os.

– Hoje não – sussurrou.

Ela estava certa, aquele não era o local nem o momento. Estávamos sorrindo feito bobos, unidos pela perfeição daquele momento, quando ouvimos um carro cantando pneu. Olhamos assustados ao redor até fitar o carro que se distanciava e não era possível distinguir a cor ou mesmo o modelo, devido à escuridão da noite.

Patrícia afastou-se de mim instintivamente e olhou para nossos veículos, que estavam estacionados sozinhos onde havíamos deixado.

– Deve ser algum maluco perdido – falei, sem ter muita certeza.

– Estranho – ela concluiu.

Eu sabia que, mais uma vez, ela tinha razão. Costumava ir sempre àquela praia quando cheguei ao país e me sentia sozinho, sem amigos. Aquele paraíso, sempre deserto à noite, foi meu companheiro muitas vezes. Um carro perdido por ali, naquele horário, seria muita coincidência. O local esteve sempre deserto todas as noites em que me aconcheguei.

– Deveríamos ir embora – ela disse.

– E perder o café da manhã?

Patrícia riu, sem jeito e, hesitando, aceitou sentar-se à mesa na minha companhia.

Comemos e conversamos por um tempo que eu jamais saberia especificar. Só sei que durou muito, pois o sol nos encontrou ali, sobre a areia, apaixonados e temerosos. Nenhum de nós queria enfrentar o que estava por vir.

Eu, particularmente, queria que aquela noite nunca tivesse chegado ao fim.

21
Matthew

— Droga... — sibilei, batendo as mãos no volante, quando ouvi os pneus cantando.

Não queria chamar atenção, não queria que pudesse passar pela cabeça deles que eu havia visto. De qualquer forma, eles não teriam certeza. Aliás, pareciam distraídos o suficiente para nem prestarem atenção em som algum.

Segui em direção à estrada que me levaria de volta para casa. Pensei em ligar para Laura, mas escolhi deixá-la dormir em paz e dar as notícias apenas na manhã seguinte.

Patrícia não sabia que eu planejava uma visita surpresa e romântica naquela noite, mas mudei de ideia ao ver o carro de Diego estacionado em frente ao seu prédio. Fiquei à espreita, até que o vi saindo. Então, minutos depois, vi quando minha namorada também saiu. Não era uma atitude bonita, mas eu a segui, pois precisava saber a verdade.

Agora, havia visto com meus próprios olhos e de que adiantara? Há quanto tempo eles estavam me traindo? Debochando dos meus sentimentos? Eu jamais iria perdoá-los. Estava tudo perdido, tudo acabado. Doera ver aquela cena, assim como doía ainda amar Patrícia.

— Diego, seu desgraçado! — Bati novamente no volante, sentindo-me descontrolado.

Mas eles iriam pagar. Tinham que pagar pelo sofrimento que me causaram. Ambos sabiam do passado trágico da minha família, sabiam que uma traição seria a pior coisa para mim.

Fiquei o caminho todo me perguntando por que coisas ruins acontecem a pessoas boas. Não me senti nem um pouco aliviado quando adentrei as ruas conhecidas de minha cidade. Eu suava, tremia e não tinha ideia de como chegara até ali.

Meu carro devia estar numa velocidade tão alta que nem me dei conta das ruas passando mais rápido que deveriam.

Os sinais, então, não existiam naquele momento.

Talvez minha morte trouxesse alívio a essa história toda, pensei. Assim, o casal estaria livre para viver sua história de amor e o mundo seria privado da minha existência inútil e solitária.

Esse foi exatamente meu último pensamento antes de o carro capotar e o mundo todo girar e, sem seguida, apagar.

22
Laura

– Como eu não posso vê-lo?! – eu berrava tão alto na recepção do hospital que o jovem médico à minha frente olhou para os seguranças parados à porta como se pedisse silenciosamente que eles estivessem prontos para agir.

– Ele é meu amigo! É como se fosse minha família. Aliás, é mais que uma família! Eu vou entrar!

O médico definitivamente balançou a cabeça e os seguranças se aproximaram. Tentei usar a lógica, embora parecesse impossível naquele instante e pensei que jamais conseguiria ver Matt daquela forma.

– Não será necessário – falei, agora sem berrar, me referindo aos seguranças.

– Quando você se acalmar, peço que me escute.

Passei a mão pelos cabelos azuis e soltei um gemido de pânico. Estava extremamente nervosa.

– Por favor, me diga como ele está – pedi.

– Senhorita…

– Laura. Apenas Laura.

– Certo. Laura, você estava na lista de contatos do seguro de saúde de Matthew. Havia mais dois nomes... – o médico começou a dizer.

– Patrícia e Diego – falei.

– Exatamente. Eles também não são membros da família...

– Não. Matthew não tem familiares próximos. Será que podemos pular essa ladainha e o senhor engomadinho pode me dizer COMO ELE ESTÁ? – Eu havia voltado a berrar.

Imediatamente, desculpei-me com o olhar. O médico devia estar acostumado a lidar com as pessoas ao dar notícias ruins quase diariamente – *deve fazer parte do curso de medicina*, pensei.

Ele respirou profundamente, como se tomasse coragem, e disse:

– Seu amigo não está bem.

– Ele corre algum... perigo?

Senti todo o meu corpo estremecer ao ver o médico balançando a cabeça afirmativamente.

Deixei-me cair ao chão, deslizando contra a parede mais próxima. Comecei a chorar.

– Laura, você precisa se acalmar. Vou chamar uma enfermeira para ajudá-la.

– Não precisa. Não será necessário, doutor...

– Don.

– Doutor Don – falei, com a voz mais mansa, entre lágrimas que tiraram minhas forças –, preciso que seja sincero comigo.

– Eu serei, prometo. Assim que tivermos feito mais exames e eu souber melhor qual é a real situação de Matthew. Por enquanto, só posso dizer que o acidente foi muito grave e que ele está desacordado.

Prevendo qual seria minha próxima pergunta, ele emendou:

– Ele não poderá receber visitas por enquanto. Como você é o único contato que temos no momento, irei reportar as notícias diretamente a você.

– E a Patrícia e o Diego?

– Nossa equipe não conseguiu entrar em contato com eles. Continuaremos tentando – explicou Don.

Ele ajudou-me a levantar do piso frio e me escoltou até uma cadeira próxima. Percebi que havia várias pessoas ali e que meu comportamento poderia estar sendo perturbador para elas, que também, decerto, tinham alguém querido com algum tipo de problema de saúde. Mas o que eu podia fazer? Quando recebi a ligação do hospital, corri para lá, sem pensar em qualquer outra coisa, já que eles não haviam dito do que se tratava pelo telefone e eu odeio suspense. Temia que o pior tivesse acontecido a alguém que eu amava.

E era quase isso.

Há poucos minutos eu fora informada sobre o grave acidente de carro que Matt sofrera e ninguém tinha o direito de pedir que eu me controlasse numa situação daquelas.

Doutor Don me deu mais algumas informações que nada acrescentaram sobre a saúde de Matt e sobre alguns procedimentos legais, já que eu era o único de seus contatos ali. Em seguida, ele sumiu apressado pelo corredor do hospital, após prometer voltar o mais rápido possível com notícias e assegurar-se de que eu estava bem.

Olhei ao redor e percebi que as pessoas me fitavam assustadas, imaginando se meu próximo surto iria demorar. Lancei expressões desafiadoras a elas, sentindo-me irritada.

Peguei o celular do bolso e tentei ligar para Patrícia e Diego, no entanto, nenhum dos dois atendeu o telefone de casa, e ambos os celulares estavam desligados.

Estranho, pensei.

Em seguida, deixei uma mensagem a cada um deles e voltei a pensar em Matthew. O pobrezinho estava em alguma sala daquele imenso hospital, acidentado e correndo o risco de jamais voltar a abrir os olhos. Resolvi que não sairia daquele hospital. Não sem Matt.

Tinha certeza de que logo meu namorado e minha amiga surgiriam, com alguma boa explicação de onde estiveram, e *nós quatro* passaríamos por tudo aquilo juntos.

Matt ficaria bem. Iríamos dar força um ao outro. Mesmo que, com toda a situação desconfortável envolvendo Patrícia e Diego, aquilo fosse uma ilusão distante, deixe-me saciar pela ideia.

23
Patrícia

O sol estava forte e o dia, lindo, parecendo um quadro perfeito pintado por Laura.

Laura.

A sensação de culpa me invadiu por completo, enquanto eu dirigia aquela manhã.

A noite havia sido perfeita ao lado de Diego. Ele apenas me beijara uma vez – uma única e perfeita vez! –, porém houvera o café da manhã noturno junto ao mar e junto a ele... e ao seu bom humor, ao seu sorriso maravilhoso e doce. A gente se dava tão bem que poderia ficar horas e horas apenas conversando, sem pressa, tranquilos, esquecendo-nos do mundo...

Mas aquilo era errado.

Matthew e Laura eram nossos amigos. Mais que isso, eram nossos respectivos namorados! Olhei pelo retrovisor do carro e vi Diego dirigindo o carro de trás enquanto voltávamos para a nossa cidade, distanciando-nos do litoral.

Ah, meu Deus!

De repente, ele era tudo o que eu queria! Como eu poderia evitar? Como poderia deixar de desejá-lo? Imaginei, por uma fração desgraçada de segundo, tudo o que eu queria a partir daquele dia: uma casinha junto ao mar e Diego para sempre.

Eu tinha que terminar com Matt, assim como Diego prometera pôr um fim ao seu relacionamento com Laura. Porém, me dei conta de que jamais conseguiria conviver com eles se não fosse completamente honesta.

Laura sabia simplesmente tudo sobre mim e sobre minha vida. Ela sempre soubera detalhes e ouvira os relatos sobre todos os caras que beijei. Eu não conseguiria mentir para ela. Porque, claro, se eu omitisse o beijo que Diego me deu, sentiria como se estivesse mentindo para ela a cada dia, a cada segundo, a cada instante de nossas vidas.

Eu estaria, assim, sabotando algo que jurei – e desejei – que fosse para sempre: a sua amizade em minha vida.

Conhecia bem Laura para saber que ela explodiria ao receber a notícia, mas decidi, ali no carro, enquanto a linda manhã me invadia e me enchia de esperanças, que, com o tempo, ela iria me perdoar e entender. E isso seria melhor do que qualquer mentira.

Já em nossa cidade, Diego seguiu-me até meu apartamento e, para minha surpresa, estacionou o carro na frente do meu prédio, seguindo-me até que estivéssemos na porta do meu apartamento.

– Tudo para ficar ao seu lado por mais alguns instantes – explicou, sorrindo.

Para que minha surpresa fosse ainda maior, ele devolveu meu celular, eu nem sabia que estava com ele.

– Peguei ontem à noite sem que você percebesse. E desliguei, claro, assim como o meu. Não queria que nada atrapalhasse nosso momento.

Não pude fazer nada, exceto rir de sua fofura extrema.

Estávamos parados em frente à porta do meu apartamento, e eu já ia pedir para ele me deixar sozinha por um tempo. A noite havia sido linda, mas eu precisava relaxar e ficar a sós com meus pensamentos um pouquinho, assim como também precisava de um banho e de um bom sono.

Mas antes que eu pudesse dizer qualquer coisa, meu telefone começou a tocar. Abri a porta e atendi.

Comecei a tremer imediatamente, enquanto recebia a notícia do hospital. A voz do outro lado da linha continuava a falar, mas eu já não parecia estar ali, sentia como se toda a energia do meu corpo tivesse sido drenada.

Diego aproximou-se, percebendo que se tratava de algo sério. Ele me fitou, curioso, e tive certeza de que estávamos conectados de uma forma inexplicável, pois foi capaz de ler a preocupação e o medo em meus olhos.

Quando pensei que nada pudesse ficar mais complicado na história de *nós quatro*, eis que surge uma questão, literalmente, de vida ou morte. Coloquei o telefone no gancho e corri para o hospital com Diego, sem que houvesse tempo nem ao menos para lágrimas naquele momento em que o medo nos mostrava o caminho e nos conduzia sem piedade.

24
Diego

Assim que eu e Patrícia entramos na recepção do hospital, avistei Laura sentada em um canto, de olhos fechados, provavelmente cochilando. Aproximamo-nos e percebemos que ela estava dormindo.

Eu sabia que ela gostava de trabalhar durante as noites e pegar no sono apenas quando o sol surgia e, considerando que ainda estávamos no período da manhã, era compreensível que ela estivesse exausta.

Observei a cena por um momento: eu, Patrícia e Laura sentada entre nós. De alguma forma, aquela imagem me perturbou mais do que eu gostaria de admitir. O pescoço de Laura pendeu, adormecido, para a lateral, e eu a amparei e abracei, deixando que repousasse em meu ombro. Sua respiração era forte e pesada.

Então, desviei meu olhar para Patrícia. Havia tristeza em sua expressão, enquanto ela observava Laura adormecida em meu ombro. Era estranho, afinal Laura ainda era minha namorada, mas meu coração era de Patrícia e cada instante junto a ela naquela noite fizera com que eu sentisse pela primeira vez na vida que era hora de parar de procurar. Tudo o que eu queria estava ali. E eu estava exatamente onde deveria estar e isso era a melhor coisa que podia acontecer para alguém como eu, que viajara por muitos países, sem nunca se sentir completo.

Esse tipo de sensação só acontece uma vez na vida e, na verdade, muitas vidas passam sem ela.

Patrícia era aquela com quem eu queria dançar até minha última dança... e para sempre...

Sentia-me péssimo por saber que Laura estava em uma situação terrível – que ainda lhe era desconhecida – devido aos meus sentimentos; sentia-me totalmente preocupado com Matt e com sua saúde, e também sentia medo de que algo pudesse impedir que eu e Patrícia vivêssemos nossa história como desejávamos.

Eram muitos sentimentos e eu sabia que ela também os tinha.

Em seguida, como se estivesse ouvindo o ritmo frenético e barulhento de minha mente incessante, Laura moveu-se vagarosamente e despertou, a princípio, assustando-se por estar deitada sobre o ombro de alguém e levando alguns segundos para captar minha presença e a de Patrícia ao seu lado, para depois sorrir aliviada.

– Até que enfim vocês chegaram! Por onde estiveram? Ninguém conseguia localizá-los...

Burro!, pensei.

Eu sabia que essa pergunta seria feita cedo ou tarde, e não me dera o trabalho de pensar em uma resposta.

A julgar pelas expressões de pânico que surgiram na face magnífica de Patrícia, ela também não. Tomei a palavra:

– Bem, eu fiquei até tarde na companhia de dança então cheguei em casa exausto e caí no sono.

– E você não acordou com o telefone? – Laura indagou.

Neguei com a cabeça, sem querer despejar mais palavras mentirosas sobre ela. Patrícia, mais esperta que eu, mudou de assunto imediatamente:

– O mais importante é: como Matt está?

– Eles contaram sobre o acidente pelo telefone? Abusados! Só me deram os detalhes quando cheguei aqui no hospital! – Laura parecia indignada.

— Contaram muito pouco. Espero que você tenha boas notícias para nós.

— Quase nada — Laura desabafou, jogando a cabeça para trás e apoiando-a contra a parede, numa clara demonstração de tensão. — O médico deu poucas informações. Tudo que sei é que o Matthew capotou o carro por excesso de velocidade e que o acidente não envolveu outro veículo ou qualquer outra pessoa. O pior de tudo é que a situação dele é muito grave.

— Grave quanto? — perguntei.

Ela balançou a cabeça, demonstrando que não sabia aquela resposta. Observei as duas e vi tudo por trás de seus olhares: pena, medo, tristeza, pânico. Matt era uma parte importante de nossas vidas e tudo o que queríamos era que ele ficasse bem, só que vi algo mais por trás do olhar de Patrícia. Demorei alguns segundos para identificar: era remorso. Eu não queria que ela se sentisse assim pela nossa noite, mas senti-me um verdadeiro lixo naquele instante. A ideia do café da manhã noturno havia sido minha, eu a atraíra até a praia. Não poderia ter colocado todos eles — Patrícia, Matt, Laura — em uma situação daquelas. Eu era o responsável e teria que achar a solução. Claro, se Matt voltasse.

Que pensamento imbecil! Claro que ele voltaria!, disse a mim mesmo, sem ter certeza de coisa alguma.

As horas passaram de forma lenta e pesarosa.

Cancelamos todos os nossos compromissos e passamos o dia no hospital sem muito dizer um para o outro. Laura estava completamente nervosa, socando a parede ou a própria perna de tempos em tempos; Patrícia ajeitara o chapéu e a franja sob ele o dia todo, enquanto suspirava, lamentando-se. Nenhuma das duas havia se alimentado.

O médico trouxera apenas a notícia de que Matthew passaria por algumas cirurgias e que continuava desacordado.

Quando anoiteceu, saí para buscar alguma comida para as meninas, e aproveitei para passar no meu apartamento e tomar um banho. Ele estava vazio, como sempre, mas senti-me estranhamente solitário, como se um vento frio viesse do meu estômago e contaminasse cada célula do meu corpo. A noite silenciosa juntou-se a esse cenário e me causou um calafrio mórbido.

Então, percebi que a sensação de vazio não era causada pelo fato de eu estar sozinho no meu apartamento, ela vinha de mim. Eu estava vazio naquele instante e isso era pavoroso.

Olhei para a parede que pintamos durante a redecoração, um dia que eu jamais iria esquecer. Coloquei minhas mãos sobre as marcas que deixamos ali. Marcas de *nós quatro*. Tudo estava tão mudado. *Eu* estava tão mudado.

Ali, longe de Laura e Patrícia, longe do mundo, permiti-me chorar como há muito tempo não fazia, ainda me apoiando sobre as palmas de nossas mãos marcadas com tinta em minha parede.

Eu chorei muito. E por tudo.

25
Laura

– Que merda está acontecendo aqui? – balbuciei, cerrando os punhos com força.

Quando Diego voltou para o hospital com comida na primeira noite após o acidente de Matthew, eu não quis comer. Apenas pensei que não estava com fome e meu estômago parecia um pouco embrulhado.

E, quando mudo de ideia e resolvo que preciso comer algo senão vou desmaiar, percebo que preferiria ter morrido de fome a ver aquela cena degradante.

Patrícia e Diego estavam sentados em uma simpática mesinha no pátio do hospital, rodeados por mesas vazias e um belo jardim.

Tão romântico, ironizei.

Quase não acreditei no que meus olhos viam. Tremendo de raiva – e de fome, possivelmente –, aproximei-me do *casal* sem que eles percebessem e tudo o que pude ouvir foi:

– Agora não é o momento certo, querida.

Era a voz de Diego.

A frase saíra em um sussurro, mas eu estava próxima o suficiente para ouvir as palavras. Quase gritei de raiva por não ter ouvido o que Patrícia dissera antes.

O que aquilo significava?

Não era o momento de quê?

De se agarrarem? De demonstrarem seu amor ao mundo?

Aliás, havia amor? Eles eram um casal? Ou Diego *ainda* era meu namorado?

Estaria tudo tão diante de meus olhos que eu me recusava a ver?

Ou seria paranoia?

Tudo de que eu tinha certeza naquele instante era que tivera um dia difícil. Queria descansar, queria dormir por meses e não pensar em nenhum problema, não ter de lidar com nada daquilo. Principalmente, queria Matt de volta ao nosso grupo, às nossas vidas. E com saúde.

Seria pedir muito?

Se Diego e Patrícia realmente estivessem envolvidos, viver um momento romântico enquanto nosso amigo – e namorado de Patrícia – estava inconsciente e correndo risco de morrer era a atitude mais baixa que eu já vira.

Diego notou minha presença e, alguns instantes após ter dito sua frase enigmática, ele virou-se para mim e, surpreso, indagou:

– Laura, há muito tempo está aqui?

– Por quê? Estou atrapalhando algo entre vocês?

Ele hesitou um pouco e Patrícia evitou cruzar o olhar com o meu.

– Não – Diego disse, por fim –, claro que não. Sente-se e venha comer algo.

– Obrigada, mas vou para o meu apartamento.

– Claro, sem problemas – disse Patrícia –, nós a manteremos informada caso Matt acorde. Você deve estar exausta, precisando de um banho, um bom jantar...

– Na verdade – a interrompi com rispidez –, estou precisando mudar a cor do meu cabelo.

Saí correndo daquele local, daquela cena, da presença dos dois. Definitivamente, eu perdera o apetite.

26
Patricia

Uma nova manhã chegou. Fui a última a me juntar a Diego e Laura no hospital.

Encontrei-os do lado de fora do prédio sentados em um banco, parecendo sérios e em total silêncio.

Na noite anterior, resolvemos que deveríamos revezar os horários para que todos pudessem ir para casa dormir um pouco. Laura foi a primeira, já que ela já estava em casa quando tivemos essa ideia e, pelo telefone, parecendo realmente exausta, concordou. Duas horas depois, ela voltou ao hospital dizendo que não havia conseguido dormir. Suas olheiras estavam horríveis e seu cansaço era palpável, porém, nada chamava mais a atenção do que seus cabelos.

Por cima do tom azul-marinho, ela fizera mechas brancas! O visual estava extremamente rebelde e psicodélico, mas eu pude ler o que aqueles fios escondiam.

Aquele era o jeito de Laura se expressar profundamente e dizer a todos nós – e ao mundo – o quanto estava fragmentada, dilacerada, rasgada. As mechas brancas eram isso, lacerações profundas em sua alma, antes azul e praticamente uniforme, visto que a única mechinha roxa, que antes ela havia feito, era representante de um momento de alegria e agora desaparecera entre os rasgos brancos que se faziam presentes por toda parte.

Em seguida, Diego havia ido descansar por algumas horas e, quando ele voltou, foi a minha vez. Dormi imediatamente ao cair na cama, um sono completamente sem sonhos, e só acordei com o despertador, deixando que a triste realidade me invadisse e me recebesse de volta.

Ninguém me ligara. Isso significava que ainda não havia notícias de Matt. Eu estava realmente preocupada com ele e com a extensão das lesões e dos danos que meu amigo – namorado, eu quis dizer *namorado* – sofrera no acidente.

Ali no banco do hospital, reparei no quanto Laura enfraquecera durante as horas em que estive ausente. Sua aparência estava ainda pior e ela parecia totalmente sem forças.

– Ei, não podemos perder as esperanças – falei, com a mão em seus ombros –, Matt vai sair dessa.

Ela lançou-me um olhar triste junto de um sorriso forçado.

– Tem certeza de que não quer descansar um pouco? – perguntei.

– Tenho. Não vou conseguir dormir enquanto não tiver notícias do Matt. Vou até a cantina buscar um café.

Dizendo isso, ela saiu e nos deixou a sós no banco. Diego olhou-me profundamente.

– Estou preocupado com o que vai acontecer com a gente – ele disse.

Compreendi perfeitamente suas palavras, ele estava se referindo a nós dois como um casal.

– Não devemos pensar nisso agora. Temos que focar em Matt. A Laura também não parece bem. Eu acho que ela sente que há algo entre nós.

– Como eu falei ontem, Patel, agora não é o momento certo de dizer nada a ela. Laura não iria aguentar uma notícia dessas.

– Mas e se ela já sabe e tudo que espera de nós é que sejamos honestos?

Ele não respondeu. Sabia que, de alguma forma, eu tinha razão.

— Aliás... Patel? – perguntei.

— Você nos proíbe de chamá-la de Pattie e, ainda mais, Patty. Eu precisava de um apelido pra você, bebê, um que apenas eu possa usar.

Suspirei contrariada. Sabia que ele não ia mudar de ideia.

— E se eu chamá-lo de Didi?

— Você dará a prova definitiva aos meus companheiros de dança de que sou realmente gay.

Pela primeira vez, desde que soubera do acidente, eu ri. Só Diego tinha o poder de fazer isso comigo, de me fazer bem e de me reencontrar em meio ao caos. *Didi* realmente era ridículo.

— Você também está um pouco pálido – falei, notando agora bem próxima à sua face o quanto ele estava diferente –, você não dormiu quando foi para o apartamento?

— Dormi um pouco. Deve ser o estresse que estamos vivendo e toda preocupação com Matt.

— Não sei não. Sua palidez não me parece ser por estresse ou preocupação. Você parece doente.

— Claro que não, estou ótimo!

— Se você diz.

Logo notei que Laura se aproximava e, assim como ela, o doutor Don vinha de outra direção e também caminhava até nós.

— Alguma novidade, doutor? – Ouvi Laura perguntando, quando ambos nos alcançaram.

— Sim. Uma boa e uma ruim – disse o médico, parecendo apreensivo. Ele não estava brincando.

— A boa primeiro, por favor – pediu Diego.

— Matthew está acordado.

— Graças a Deus! – exclamei, sorrindo.

Diego também pareceu satisfeito. Laura, porém, estava focando na próxima notícia e, com expressão tensa, indagou:

— E a ruim?

27
Matthew

Abri os olhos lentamente.

Estava difícil tomar consciência de alguma coisa. A claridade que atingiu meus olhos foi muito intensa, como se eu acabasse de ter sido despertado de um sono muito profundo, sugado de outra dimensão, na qual fiquei mergulhado sem vida.

Tudo de que eu me lembrava era a praia: Diego e Patrícia se beijando sobre a areia, o céu noturno coroando a visão patética, enquanto as estrelas pareciam rir de minha desgraça e tornar meu inferno mais perturbador com todo aquele brilho indecente. Fora isso, o tempo passara na velocidade da luz e flashes confusos do carro rolando sobre o asfalto me atingiram em cheio.

Era isso, eu sofrera um acidente.

Com dificuldade, consegui visualizar mais nitidamente o asfalto, o som do colapso, a dor do meu corpo. Uma dor excruciante e indefinível havia tomado conta de mim antes que eu perdesse a consciência. As lembranças, aos poucos, voltavam. As lembranças de *tudo* o que acontecera naquela noite.

Fazia sentido que aquela sala clara, bem iluminada e com sons ritmados, fosse um hospital. Eu deveria estar sendo monitorado. Com os segundos, tive certeza de que essa constatação era verdadeira. Porém, estranhei o fato de não estar sentindo praticamente dor nenhuma. Toda a dor que senti imediatamente após o acidente havia ido embora. Tentei tossir por impulso e só então notei que havia um tubo em minha boca. A sensação foi horrível e desesperadora, tentei me mover, agitar-me, mas não consegui. O pânico me invadiu por completo.

Por que eu não conseguia mover meu corpo? Por que não sentia dor? Por que mal tinha consciência de mim mesmo e da cama sobre a qual eu estava deitado?

Havia alguém naquele quarto, provavelmente um médico ou enfermeiro, que parecia debruçado sobre uma bancada, anotando coisas, bem próximo da minha cama, contudo, eu só podia ver suas costas. Precisava chamá-lo, dizer que eu estava vivo e acordado e que, estranhamente, não sentia dor. Eu quis *sentir* dor, só para ter certeza de que realmente estava vivo.

Concentrei-me.

Prendi a respiração e enviei mensagens ao meu corpo, pedindo que ele me mandasse sinais do que estava acontecendo. Voltei a respirar aliviado quando senti minhas mãos se mexendo e ganhando consciência do lençol sobre o qual repousavam.

Graças a Deus, eu estava vivo, meu corpo estava vivo, eu apenas precisava que me ouvissem e me ajudassem.

Chamei o enfermeiro, tentando emitir algum tipo de som ou gemido, mesmo com o tubo na boca. Ele não se virou, apenas continuou fazendo anotações em sua prancheta. Como aquilo podia ser mais importante do que saber que eu estava acordado?

Chamei-o novamente.

Nada.

Não era possível.

Ele estava tão próximo, por que não me ouvia? Ou por que fingia não ouvir? Quando o chamei pela terceira vez, dei-me conta do motivo de ele não estar me ouvindo.

Ele não podia me ouvir... porque eu não o havia chamado em voz alta.

Eu pensara ter chamado, mas me dei conta de que não ouvi minha própria voz. Não era culpa do tubo. De alguma forma, a voz não saía, nem mesmo os movimentos para falar eu conseguia executar.

Movimentei os dedos das mãos, apertando o lençol, sentindo raiva e desejando que eu pudesse gritar muito alto.

– Ei! Você acordou?

Olhei ressabiado para a lateral da minha cama.

O enfermeiro estava ali, parado, fitando minhas mãos se movendo e meus olhos completamente abertos. Tentei fazer algum som, mas realmente a voz não saía.

Ele percebeu minha agitação e repousou a mão sobre meu peito:

– Acalme-se, você precisa ficar tranquilo, rapaz.

Percebi que ele apertou um tipo de botão e um médico chegou ao quarto. Ele sorria, andando em minha direção. Aproximou-se de mim e, segurando uma de minhas mãos, disse:

– Como você se sente?

Tentei emitir algum som, mas apenas minha cabeça se moveu um pouco.

Ele riu e fez sinal para que o enfermeiro o ajudasse. Tiraram o tubo de minha boca, o que me deu uma imensa sensação de liberdade e me trouxe a esperança de finalmente ouvir minha própria voz.

– Melhor? – ele perguntou, parecendo genuinamente animado por me ver acordado.

O momento da verdade foi o mais doloroso possível.

Conforme eu previra, não era o tubo que estava impedindo que eu falasse. A voz simplesmente não saía. A vontade de dizer estava em mim, mas as palavras me fugiam de forma desesperadora.

Percebi quando o doutor se deu conta disso. Suas expressões se anuviaram e o sorriso em sua face desapareceu.

Ele pegou novamente uma de minhas mãos:

— Matthew, sou o doutor Don, responsável pelo seu caso. Você sofreu um acidente muito grave. Está ciente dessa situação?

Apertei a mão dele com força. Don soube que aquela era minha forma de dizer "sim". Ele continuou:

— Ótimo. Você esteve desacordado por cerca de vinte e quatro horas e passou por duas intervenções cirúrgicas. Ainda precisarei fazer novos exames a respeito da sua dificuldade de fala.

Incapacidade, eu quis corrigi-lo. Era uma incapacidade de fala.

— Tenho algumas notícias sobre seu estado, mas, antes, se assim você desejar, há três pessoas que estão neste hospital desde ontem, aguardando que você acordasse. Gostaria de vê-los?

Apertei com tanta força a mão de Don, que voltou a sorrir e saiu do quarto com o enfermeiro, deixando-me sozinho.

Eu não tivera a chance de agradecê-lo por não estar sentindo dores.

Eu estava quase caindo no sono novamente.

Não queria. Não podia.

Patrícia, Diego e Laura estavam ao meu redor junto ao doutor Don.

Eles conversavam como se eu não estivesse ali. Apenas Patrícia estava mais próxima de mim, passando a mão suavemente por minha face. Estive alguns instantes no paraíso. Ela estava tão linda, parecia um anjo. Estava me perguntando se eu realmente não estava morto, quando senti algo cair sobre minha face, algo molhado. Era uma lágrima de Patrícia. Por que ela estava chorando? Eu estava acordado, estava bem, estava vivo!

Era verdade que eu estava quase adormecendo de novo, mas, com tantos remédios, aquilo era natural, não era? Lutei para manter os olhos abertos.

Diego envolvia Laura em seus braços e ela conversava com o doutor Don. Todos estavam tão sérios. O que estaria acontecendo?

Eu quis dizer a eles para não se preocuparem, mas a voz continuava a não sair. Com o tempo, desisti e concentrei-me apenas em sentir a mão de Patrícia deslizando sobre minha face. A sensação fugidia da paz tomou-me em seus braços mais uma vez.

Novas lágrimas caíram sobre mim e sobre o lençol. Ela estava muito próxima, eu quis sorrir, mas não tive forças. O sono me vencia.

Contudo, antes que eu me entregasse novamente à sonolência e ao torpor completo, ouvi suas palavras, abafadas por seu choro sentido sobre meu corpo:

– Você vai ficar bem, Matt, eu prometo. Muitas pessoas vencem a paraplegia, nós vamos conseguir. Você não está sozinho.

Então, tudo se apagou e Patrícia virou apenas um sonho bom.

28
Laura

Diego e eu envelheceríamos juntos.

Nunca pensei se queria ser mãe. Mas a verdade é que também nunca havia sonhado em ser uma esposa, até encontrar a pessoa perfeita, que fizesse com que meu maior sonho fosse ficar do seu lado até o fim.

Naquele momento, pude ver quando chegamos a uma simpática varanda. Ele já não tinha idade para as danças espalhafatosas, mas, ao som de boa música, ainda se permitia alguns passos, que me faziam rir. Essa era uma das razões pelas quais eu queria sempre estar com ele: ele me fazia rir.

Eu estava ao seu lado naquela varanda começando a pintar uma nova tela. Meus cabelos brancos feito algodão, devido à idade avançada, eram parcialmente da cor natural, porém, sobre ela eu fizera mechas de todas as cores. Cada mecha representava, através de sua cor e de seu formato, um momento de minha vida. Uma alegria, uma tristeza, uma dor...

Era o retrato perfeito, a visão perfeita de um futuro, que agora escorregava por minhas mãos, feito fumaça, feito água, mas uma água tão suja quanto os dias que eu estava vivendo.

Abri os olhos, assustada. Eu estava arfando e com o coração tão acelerado que logo poderia sair do meu peito, subir pela garganta e sair voando, para nunca mais voltar.

Instintivamente levei a mão à cabeça pois minha têmpora latejava como se dezenas de martelos a castigassem.

Foi então que a visão da varanda, do futuro ao lado de Diego, me veio à mente, sendo essa a causa da minha dor de cabeça tão excruciante.

Eu queria tanto aquilo tudo, tivera tudo tão perto de mim, mas sentia... Aliás, *sabia* que estava perdendo tudo. Já havia perdido. Os olhares e os abraços de Diego não eram os mesmos, assim como a presença de Patrícia, que trouxera alegria e conforto por tantos anos em minha vida, agora me trazia sofrimento. Ela o estava roubando de mim. Roubando Diego, roubando a varanda, que jamais existiria; roubando todos os risos, que ficariam presos em mim, sempre.

Naquele instante, tive certeza de que não me encontrava adormecida momentos antes. Eu estava bem despertada quando a visão da varanda e de minha velhice ao lado do Diego se formou em minha mente. Havia sido um sonho tão perfeito justamente porque eu sonhara acordada.

Respirei profundamente, querendo que todo o mal me deixasse, mas era impossível.

Aquilo que eu jamais teria iria me perseguir para sempre e garantir que eu fosse infeliz.

Levantei da cama, após mais uma noite de insônia e, com minhas gigantes olheiras, que eu carregava por onde fosse, dirige-me ao hospital, onde Matt continuava sem falar e sem realizar qualquer movimento abaixo da cintura, o que espantava de vez meus sonhos bons – fossem eles projetados enquanto eu dormia ou enquanto estivesse acordada –, e ressuscitava todos os pesadelos.

Minhas mãos seguravam trêmulas os papéis que Patrícia me entregara.

Sonhos. Visões. Pesadelos.

Tudo pareceu distante e pequeno perto do que as palavras que eu acabara de ler significavam.

Pensei em Matt. O pobre Matt... Como seria possível?

Eu havia chegado ao hospital há pouco tempo e não conseguira encontrar Patrícia ou Diego. Então, o doutor Don me explicara que algo muito sério acontecera e que eles estavam em uma sala privada, tendo uma conversa com um advogado, um tal de Henry Morris.

Senti meu chão desaparecer com aquela notícia, pois eu não aguentava mais acontecimentos ruins. Parecia que um atraía o outro, como numa reação em cadeia dos infernos!

Exigi que Don me levasse até a tal sala privada. Assim que entrei, os três interromperam a conversa. Patrícia apresentou-me ao advogado, estendendo-me os papéis.

Consegui afastar os pensamentos ruins que estava tendo com relação a ela naquele instante, pois li no seu olhar que estávamos diante de um assunto muito sério e que aqueles papéis dispensariam qualquer outra explicação. Li em questão de minutos.

Todos permaneceram em silêncio, aprovando os gritos abafados que eu soltava ocasionalmente, tamanha minha perplexidade. Reli cada linha.

– Não pode ser! Isso significa... o que eu estou pensando?

– Sim – falou o advogado. – Sinto muito. Esse é o laudo da seguradora do veículo do senhor Matthew. Não há dúvidas de que o carro foi sabotado.

Ainda tremendo, gritei, e ninguém pôde me repreender por isso:

– Alguém tentou matar Matt?

Nesse instante, uma enfermeira abriu a porta da sala e me lembrou de que eu ainda estava dentro de um hospital e deveria manter a calma, senão seria obrigada a me retirar.

Assim que ela saiu e tornou a fechar a porta, respirei profundamente, sem acreditar no que estava acontecendo, apesar de as provas serem incontestáveis.

— Foi uma tentativa de homicídio – disse Henry Morris.

— Quem iria fazer uma coisa dessas? – perguntou Patrícia.

— É por isso que estou aqui – disse o advogado, que, reparei momentaneamente, era um homem ruivo, de aproximadamente quarenta anos, mas com dentes tão amarelos, que, se estivéssemos em outra situação, Diego certamente teria feito alguma piada. – Sou o encarregado por este caso a partir de agora. É do interesse da seguradora encontrar o responsável, além disso, segundo cláusulas específicas, representarei o senhor Matthew na busca por seu *quase* assassino.

Aquelas palavras eram muito fortes. Senti o mundo girar.

— Há mais um detalhe que vocês precisam saber.

Olhamos apreensivos para o advogado, quando ele despejou fria e desdenhosamente as seguintes palavras:

— É melhor que todos vocês cooperem. São os principais suspeitos da tentativa de homicídio.

— O quê?! – perguntamos juntos, surpresos.

— Teremos tempo para conversar. Mas, adiantando alguns aspectos legais, o senhor Matthew tem uma grande fortuna, deixada pela família, e como não tem parentes próximos, segundo sua vontade, os bens iriam ser divididos entre vocês, o que faz com que sejam os únicos a se beneficiarem com sua morte.

— Ele tinha um testamento? Eu nem sabia disso! – disse Diego.

— Matthew sempre mantinha essas questões atualizadas. Ele perdeu muitas pessoas queridas ao longo da vida, sabe que a morte pode vir de surpresa.

— Isso é algo cruel de se dizer – falei.

— E verdadeiro – disse o *doutor-sabe-tudo*.

— E como você tem tantos detalhes? – perguntei em tom esnobe.

— Trabalho na seguradora do Matt há muitos anos. Não apenas cuido da questão do seu veículo, como também de seus demais patrimônios. Sei muito mais do que vocês imaginam.

Prepotente, metido!, gritei em silêncio.

– Ele confia em mim e, mesmo não sendo capaz de se expressar com palavras, já deu seu consentimento para que eu investigue o caso. Testemunhas estavam no quarto quando ele me nomeou por meio de sinais e assinaturas seu representante na busca pelo culpado. Eu não irei descansar.

– Isso vai trazer dinheiro, prestígio, tudo o que você quer, não é? – perguntou Patrícia, tão nervosa quanto eu.

– Não, senhorita, vai trazer justiça. E vocês precisam me ver como um aliado daqui para a frente, caso queiram descobrir quem tentou matar seu amigo – disse Henry Morris em tom agressivo e desafiador.

– E como você espera isso quando vem até aqui nos acusar? – indagou Diego.

– Se vocês não têm nada a esconder, sugiro que provem. Uma boa forma de me fazer acreditar que são inocentes é mudando o ar insolente em suas faces. Nos vemos em breve.

Ao dizer aquilo, ele se dirigiu para a porta, parecendo soltar fogos de artifício por dentro.

– Ah! – ele disse, virando-se, como se tivesse se esquecido de dizer algo, o que não era verdade, ele apenas queria uma saída triunfal. – Se eu fosse um de vocês, tomaria cuidado com os outros dois, visto que há uma grande chance de estarem bem próximos de um assassino.

Henry Morris fechou a porta silenciosamente. Assim, permanecemos imóveis por alguns instantes, que pareceram eternos, até que Diego quebrasse o silêncio:

– Não podemos acreditar nesse cara. Eu e a Patrícia não tivemos tempo de fazer nada. Estávamos juntos naquela noite.

Ele não devia estar pensando claramente. Foi óbvio que não calculou as palavras antes de dizê-las e se arrependeu instantaneamente, assim que viu minha expressão furiosa.

Sacudindo o corpo todo, falei:

— Eu sabia, eu sempre soube! Mas que fique claro que não vou permitir que, além de me trair, você me acuse de tentar matar Matt!

— Não foi isso que eu quis dizer — ele também estava tremendo, nervoso como eu nunca o havia visto.

— Acabou de tentar tirar vocês dois de suspeita! Mas, digo uma coisa, quem quer que tenha sabotado o carro pode ter feito isso horas antes. Vocês são tão suspeitos quanto qualquer um. Aliás, são ainda mais! Podem ter esquematizado o álibi perfeito para que ninguém desconfiasse. Estou certa, não estou? Por isso não mataram Matt cara a cara. Sabotando o carro dele, teriam a chance de bolar o álibi. Aliás, eu seria a próxima vítima? Qual de vocês, ou seriam os dois, está querendo o caminho livre para assumir que estão juntos?

— Laura, você não está no seu juízo normal... — Patrícia começou a dizer.

— Não me diga! E você está? Então, sua vagabunda, é melhor não me esconder mais nada! Desde quando vocês estão tendo um caso pelas minhas costas?

Minha voz já se elevara, e meus dedos tremiam, enquanto eu os apontava no rosto de Patrícia. Não sei o quanto ela pretendia me contar, mas sei que minhas palavras, naquele instante, fizeram com que ela se agitasse, movida por medo, pânico, desespero, raiva, e dissesse sem dó ou pesar:

— Nós nos beijamos na noite do acidente. Foi... só isso.

Eu aguentara muito nos últimos tempos, não poderia mais me segurar. Não haveria um minuto mais de tolerância. Voei para cima dela, sem saber ao certo o que estava fazendo ou quem eu era naquele instante.

29
Patricia

Senti o peso da palma da mão de Laura sobre minha face, seguida de dor aguda por toda minha cabeça, chegando a enrijecer meu pescoço, com a força com que ela puxou meus cabelos.

Não pude reagir.

Não pude chorar.

Não pude gritar.

Aquela era a Laura, minha amiga, minha irmã. Uma parte estranhamente autoritária de mim dizia que eu merecia aquilo e que deveria apanhar calada. Senti quando caímos no chão, devido à intensidade com que seu corpo se chocou ao meu, e pude ver quando ela se ajoelhou sobre meu ventre e voltou a bater em meu rosto. Uma maca rolou ao nosso lado e aparentemente nós a havíamos empurrado. Tudo isso durou uma fração de segundos e, ainda assim, fez com que *tudo* doesse profundamente. Não vou negar que os golpes doíam. A dor dos tapas, dos puxões de cabelo e do atrito contra o chão frio me castigavam, mas o que doía mais era o que tudo aquilo significava.

Diego agarrou Laura pelos braços e a tirou de cima de mim no mesmo instante em que a enfermeira que a repreendera pelos gritos anteriormente entrou correndo na sala, acompanhada por mais dois enfermeiros e, surpreendentemente, por Henry Morris.

— O que está acontecendo aqui? – perguntou a enfermeira.

Nos braços de Diego, Laura agitava-se freneticamente, canalizando toda sua raiva em minha direção e gritando:

— Você me traiu!

Eu continuava caída no chão em estado de choque. Os enfermeiros tentaram me ajudar, mas desvencilhei-me momentaneamente para olhar Laura nos olhos. Foi aí que uma lágrima finalmente rolou sobre minha face. Eu a havia perdido para sempre. Pude ler em seu olhar que nada colaria as peças que haviam se quebrado em nossa relação. Nada faria com que ela me perdoasse.

— Eu... não... – balbuciei. Não consegui dizer nada.

— Você acha que sabe tudo sobre mim? – Laura perguntou-me com fúria. – Você acha que me conhece por completo? Apenas eu, EU sei sobre os demônios e as dores que enfrentei – ela gritou e apontou para si mesma, balançando todo o corpo de forma descontrolada.

— Já chega! Levem-na daqui – ordenou o advogado.

Naquele instante, ela pareceu finalmente perceber que quem a segurava era Diego. Parecia ter se esquecido de que ele estava ali.

Vi quando Laura girou o pescoço em sua direção e encarou-o por efêmeros instantes, que disseram tanto.

— Não é porque eu não falo tanto sobre meus sentimentos que eu não os tenho. Eu amo... *amei* você, seu idiota!

Os dois enfermeiros agarraram Laura e a separaram de Diego segundos antes de ela tentar acertá-lo também, pois pude perceber seu punho fechado acertando apenas o ar.

Assim que Laura foi levada da sala, chutando o ar e agitando-se sem parar, eu, Diego, Henry e a única enfermeira restante olhamo-nos por um momento, absorvendo o silêncio doentio daquele instante. O clima de tensão pairava no ar, desarmando-nos, fazendo com que até respirar parecesse inapropriado.

A enfermeira foi a primeira a quebrar o silêncio:

– Isto é um hospital. Onde vocês estão com a cabeça?

Eu não conseguia responder.

Percebi que, desde a primeira lágrima que derramara, muitas outras vieram sem convite ou cerimônia e, então, banharam-me a face e mesclaram-se a um pouco de sangue que escorria pelo meu pescoço. Passei a mão sobre a ferida, parecia ter sido feita pelas unhas de Laura. O momento fora tão intenso, que eu nem percebera que ela havia me machucado. Todavia, isso não importava. Eu merecia.

– Poderia deixar-nos a sós, senhora? – Era a voz apática de Henry Morris dirigindo-se à enfermeira.

Parecendo contrariada, ela saiu da sala, balançando a cabeça, enquanto nos censurava com seu olhar até o último instante:

– Isto é um hospital... – ela continuava a repetir.

Henry fechou a porta e virou-se para mim e Diego.

Vagarosamente consegui levantar e apoiar-me nos braços reconfortantes de Diego, enquanto o advogado começou a falar:

– Eu sabia o peso que minhas últimas palavras teriam, as que proferi antes de deixá-los a sós.

– Seu canalha, você queria ver o circo pegar fogo! Está contente? – provocou Diego.

Ele deu uma risada vazia, aparentemente divertindo-se com o insulto, e continuou:

– Não. Nem um pouco feliz. Eu apenas queria saber o quanto vocês sabiam.

– Não sabíamos de nada. Nem sabíamos que havia um testamento – Diego respondeu, e pude sentir seus braços tremendo de raiva.

– Sim, você pode estar dizendo a verdade quanto a isso. Entretanto – ele fez uma pausa dramática antes de continuar –, meu primeiro palpite poderia estar errado.

Novamente ele sorria.

Entre as lágrimas e todas as dores do mundo, que naquele instante haviam encontrado um refúgio seguro e propício em meu peito, falei murmurando:

– O que você quer dizer?

– A tentativa de homicídio pode não ter acontecido por questões financeiras. Pode ter sido por causa passional.

– Seu... – fiz sinal para que Diego se calasse antes que dissesse o que pretendia ao advogado e piorasse nossa situação.

– Você realmente acredita que eu ou Diego tentaríamos matar Matt para ficar juntos?

– Ou os dois juntos tentariam matá-lo – Henry disse. – Sim, acredito. E, até que se prove o contrário, irei providenciar para que vocês não possam visitá-lo.

– Isso é ridículo! – exclamei.

Ele já ia saindo quando se virou em mais uma tentativa de saída triunfal, que me fez tremer pela expectativa das palavras que diria a seguir.

– O hospital com certeza prestará algum tipo de queixa contra sua amiga, a que a agrediu.

– Eu não quero prestar queixa alguma – falei sem olhá-lo nos olhos.

Percebi de soslaio quando ele saiu e me deixou sozinha com Diego. Desvencilhei-me daqueles braços quentes e confortáveis, que, de tão bem que me faziam, haviam me feito perder tudo.

Dei alguns passos afastando-me dele para pegar o chapéu, que caíra durante a briga – aliás, *surra* seria a palavra apropriada.

– Patel?

Eu não quis ouvir. Não podia lidar com aquilo.

Continuei a andar, saí da sala, saí do hospital, não olhei para trás.

A água gelada trazia a sensação da vida de volta ao meu corpo a partir dos meus pés mergulhados no lago, irradiando-se por cada célula e não permitindo que eu me entregasse completamente.

Eu amava aquele lugar. Sentia-me em casa. Sempre fora assim. Não havia muitas pessoas ali naquela época do ano e a noite estava fria e morbidamente escura enquanto eu balançava os pés descalços na água e pensava nos acontecimentos recentes. Olhei ao meu redor. O cenário era exatamente o mesmo da noite em que eu e Laura conhecemos Diego e Matthew. Por que tudo mudara e se perdera?

Olhei para o Beira-Mar, que estava praticamente vazio, assim como os demais estabelecimentos nas proximidades. Era como se o mundo também achasse que a vida estava sem graça, que os risos, as amizades e as boas bebidas deviam ser todos silenciados naquele momento de profunda depressão.

Meu peito doía.

A dor era tão forte que pensei não ser possível aguentá-la. Olhei para cima e perguntei ao *nada* se era permitido que nós, simples humanos, pudéssemos sentir tanta dor. Por que não morríamos antes de chegar àquele ponto?

Em meio a devaneios tão obscuros, ouvi passos se aproximando. Sem maiores explicações, soube antes de me virar quem havia chegado.

– O que você está fazendo aqui? – perguntei.

– Eu sabia que aqui era o lugar onde você estaria. Nem a procurei na sua casa ou em qualquer outro lugar. Vim direto para cá – respondeu Diego, enquanto tirava os próprios sapatos, depositava-os na grama ao lado dos meus e sentava-se à beira do lago, mergulhando os pés e fazendo a água agitar-se. – Temos uma conexão inexplicável.

– Eu... eu preciso ficar...

– Sozinha. Eu sei – ele completou a frase por mim. – Patel, respeito isso e irei embora o mais rápido possível, apenas preciso lhe dizer algo.

Não respondi imediatamente. Contemplei o céu, o lago, as árvores. Fiz de tudo para esquivar-me do olhar de Diego, mantendo-me ocupada com as coisas mais idiotas possíveis, como brincar com um pouco da grama ao meu redor, respirar profundamente ou mexer no meu chapéu. Ele percebeu e esperou pacientemente até que estivesse pronta para ouvir ou para voltar a falar. Quando finalmente tomei coragem de falar, libertei um sentimento que muito me castigava, mas que nada tinha a ver com nosso atual pesadelo.

– É tão estranho ter alguém que você tanto ama por aí, pelo mundo. – Balancei a cabeça em direção ao céu, querendo que aquele gesto simbolizasse que eu falava de qualquer lugar, do infinito.

– Você está falando da sua filha? – ele perguntou, chegando mais próximo de mim. Pensei em recuar, entretanto, apenas continuei a conversa:

– Minha Cassie... É estranho, difícil e doloroso saber que ela está em qualquer lugar fazendo qualquer coisa. Não sei nada sobre ela, mas a amo tanto que é como se eu a conhecesse, como se ela fosse um pedaço de mim. Às vezes sinto que estamos conectadas. Estou louca, não estou?

– Não, Patel, você nunca esteve tão certa. Acho que eu sentia isso tudo em relação a você antes de nos encontrarmos. Sabia que você estava em *algum lugar*.

Após ouvir aquela declaração, não me contive mais. Escondi meu rosto no ombro de Diego e chorei por muito tempo. Nossos corpos balançavam com os meus soluços e a dor parecia deixar-me lentamente e se mesclar à água que banhava nossos pés.

Era a presença dele. Só ela era meu remédio.

– Por que tudo tem que ser tão difícil? – perguntei, enquanto ele secava minhas lágrimas com doçura.

Naquele instante, uma borboleta dançou no vento bem à nossa frente. Era quase um milagre que ela estivesse ali, naquela hora, naquele vazio, naquela noite gélida. Não pude ver ao certo sua cor por causa da escuridão da noite. Podia ser azul, roxa, preta, não importava.

Ela brincava feliz como se a vida fosse aquilo, uma melodia a ser seguida.
Eu quase sorri.

– Isso é um sinal, meu amor, de que as coisas vão mudar. As borboletas são o símbolo da transformação. Acredite, as coisas ruins vão passar. Nós, não. Nós vamos sobreviver a tudo isso e sair renovados dessa tempestade – afirmou Diego.

Eu definitivamente sorri.

30
Diego

– O que você queria me dizer? – Patrícia perguntou, assim que a borboleta se perdeu na escuridão.

– Eu só queria que você soubesse que eu encontrei algo por que vale a pena lutar. Não vou desistir. Não vou desistir de você, Patel.

Após dizer aquelas palavras, que eu sentia como a única verdade da minha vida naquele momento, inclinei-me para beijá-la, mas ela se esquivou. E eu compreendi sua atitude.

Matt estava no hospital, paraplégico, após um acidente na noite em que nos beijamos pela primeira vez; Laura também havia sido hospitalizada, recebera calmantes após agredir Patrícia, e eu não sabia se ela já estava em casa ou se ainda dormia em algum leito hospitalar depois de agredir a amiga; nós estávamos sendo acusados de tentar matar Matt. Aliás, no meio de tudo aquilo, alguém, de fato, tentara matá-lo. Era natural que Patrícia quisesse um tempo. Meu medo era que, após tudo aquilo, nós não conseguíssemos ser um casal.

– Aquele advogado é um idiota – falei, mudando o rumo da conversa.

– Não sei. Às vezes penso que ele realmente só está querendo ajudar. Pense bem, nós sabemos que não fizemos nada, mas é natural que sejamos suspeitos.

– Patel, me escute com atenção. É um absurdo ele ter nos acusado daquela forma.

– Concordo. Ele foi... desagradável. Mas realmente quero que ele descubra a verdade. Temos que saber quem tentou matar o Matt, por qual motivo e se nós também corremos perigo de alguma forma...

– Nós saberemos a verdade. Eu não dormirei tranquilo mais nenhuma noite na minha vida até saber quem fez um absurdo desses, deixando Matt naquele estado – confessei sem pensar. Só depois percebi o quanto meu comentário havia feito mal a Patrícia.

Seus olhos estavam úmidos novamente. Eu não queria vê-la chorando mais uma vez, pois isso destruía meu coração em tantos pedaços que seria difícil remendá-lo.

Ela estava muito ferida com o que acontecera ao Matt e com um grande sentimento de culpa por ter passado aquela noite comigo, tomando nosso café da manhã junto ao mar enquanto a desgraça acontecia.

– Nós iremos contar a ele – falei.

Eu sabia que ela queria contar sobre nós. Mas sabia também que teríamos que esperar um pouco, afinal de contas, o momento de revelar a verdade à Laura saíra exatamente o oposto do que qualquer um de nós poderia imaginar.

Havia uma chance de a própria Laura contar a ele, mas, devido ao estado de Matt, eu acreditava que ela não faria aquilo, por se importar com ele e sua recuperação.

– No momento certo – ela disse, concordando comigo.

Ficamos ali mais alguns minutos.

Quando a temperatura baixou ainda mais, fomos embora, cada um para seu apartamento sem nos despedir; sem saber o que os próximos dias guardavam para nós.

31
Laura

Eu consegui dormir algumas horas naquela noite.

Mais cedo já cochilara um pouco no hospital, após receber sedativos para me acalmar. Talvez o efeito dessas medicações ainda estivesse em mim quando cheguei ao meu apartamento e caí na cama sem nem trocar de roupa. Após tantas crises de insônia, o fato de eu ter dormido era algo a ser celebrado. Na verdade, era o único fato a ser celebrado. Minha vida estava uma merda; aliás, estava muito pior que isso.

Não sei com que cabeça eu me prepararia para a próxima exposição. De repente, tudo pareceu feio, horrível, imbecil na minha vida, inclusive minha arte. Será que era tudo culpa minha?

Eu sabia que havia sido um problema na vida de meus pais, agora seria também apenas isso para meus "amigos"? Um problema? O que eu fizera de errado desta vez? Impedira que meu namorado e minha melhor amiga pudessem viver plenamente uma grande história de amor? Aquilo era ridículo, mas era uma possibilidade real. Senti-me um lixo, um verme imundo – mas talvez um verme imundo tivesse mais sorte que eu, porque ele podia se esconder embaixo da terra.

Olhei um minuto para meu apartamento, como se tentasse encontrar uma rota de fuga para outra dimensão. Percebi o quanto aquele lugar estava uma bagunça: roupas, pincéis, papéis, tintas, sapatos, lençóis.

Isso só para começar a enumerar a lista de objetos identificáveis espalhados por todos os cantos, considerando que havia também os não identificáveis, sem mencionar tudo que havia dentro do meu fusca azul; eu nem ousei espiá-lo pela janela. Seria impactante olhá-lo à luz do dia. Com certeza, estaria de qualquer cor, menos azul, já que eu nem me lembrava de quando fora a última vez que o lavara.

Sujo ou limpo, seria ele a me levar para o hospital, decidi, saltando da cama em um impulso; eu iria acompanhar o Matthew em seu primeiro dia de fisioterapia. Ele só tinha a mim agora. Os dois traidores – e possíveis assassinos – não contavam mais.

Não sentia nem um pouquinho de remorso ou arrependimento da surra que dera em Patrícia. Eu devia ter quebrado a cara dela de uma vez.

Caminhei pelo apartamento e fui tomar um banho frio, como uma forma de me fazer despertar por completo e ter coragem de encarar o dia. Depois, pesquei uma roupa qualquer do chão e a vesti. Bebi um gole de café gelado, que me fez sentir náuseas, e saí, sem nem pentear o cabelo – azul, com manchas brancas, totalmente desgrenhado, oleoso e rebelde.

A fisioterapeuta Liah explicara todos os passos do processo de reabilitação. Matthew começaria as sessões ali mesmo, em seu quarto de hospital e, com o avanço do tratamento, assim que recebesse alta por completo, iria passar a fazer as sessões na clínica particular na qual ela trabalhava. Os exercícios iniciais seriam muito simples e completamente guiados por ela, a fim de exercitar a musculatura de suas pernas.

Ela era uma simpática mulher de meia-idade, sempre com um sorriso no rosto e parecendo muito otimista. Pensei que para o trabalho que realizava, ela realmente tinha que ser assim, considerando que, se fosse alguém como eu, já teria desmotivado todos os pacientes, já que, para mim, a vida era uma droga completa.

Liah conversou bastante com Matthew na primeira sessão, o motivou muito e falou sobre os altos índices de sucesso que ela obtivera com pacientes paraplégicos que tratara, enfatizando que os esforços maiores viriam dele e de sua vontade de melhorar, e que ela estava ali apenas para apoiá-lo. Também disse que o tratamento poderia ser longo, um verdadeiro teste de paciência, mas que o otimismo deveria estar presente até o fim.

Quase dormi com tudo aquilo. Eu estava sentada, assistindo a tudo. Às vezes ela me direcionava um olhar animado, dizendo o quanto era importante para ele ter uma amiga ao seu lado durante o processo. Eu apenas sorria timidamente e dizia que estaria sempre com ele.

Após a sessão com Liah, Matt iria descansar um pouco para, pela tarde, ter uma sessão com a fonoaudióloga.

Aproximei-me de sua cama e olhei dentro de seus olhos com intensidade. Pegando uma de suas mãos, perguntei:

– Você gostaria que eu estivesse aqui na sessão com a fonoaudióloga?

Ele assentiu com a cabeça e apertou minha mão com força.

– Está certo, eu estarei. Prometo – garanti.

Dei um beijo em sua testa e saí, após pedir que ele descansasse um pouco e afirmar que eu estaria de volta, conforme o prometido. Era horrível vê-lo naquela situação, pois ele era tão importante para mim, um amigo tão querido, um guerreiro que já enfrentara tantas perdas na vida. Eu faria qualquer coisa para vê-lo fora daquela cama, para vê-lo andar novamente. Mas sabia que as possibilidades de isso acontecer eram remotas.

Otimismo, diria Liah.

Pensei se, por acaso, ele saberia de Patrícia e Diego. Eu sabia que ele tinha fortes suspeitas por causa do dia da tempestade e da pista de gelo, entretanto, será que ele tinha mais provas? Eu tentara me enganar, iludir, adiar as conversas necessárias, mas e quanto ao Matt? Infelizmente, ele não podia mais me dizer o que sabia. O médico dissera que a perda da fala era provavelmente transitória e gerada pelo choque do acidente. Com todos os acontecimentos, independente do quanto e do que Matthew soubesse, eu não diria nada a ele sobre a traição, pelo menos por um tempo. Meus pensamentos foram interrompidos quando cheguei à recepção do hospital e encontrei Patrícia.

Como se estivesse tudo bem, ela se aproximou de mim:

– Como ele está? – perguntou.

Minha vontade foi terminar o serviço do dia anterior e realmente quebrar sua cara.

Contudo, já fora difícil conseguir permissão para continuar a visitar Matt, eu sabia que jamais poderia colocar os pés naquele hospital caso fizesse um escândalo de novo.

Reparei que a enfermeira mandona estava no local e nos observava atentamente, pronta para agir, caso algo saísse do controle. Eu tinha que me conter. Pelo Matt.

– O que você está fazendo aqui? – murmurei, para que apenas Patrícia pudesse me ouvir.

– Eu sei que hoje foi a primeira de sessão de reabilitação. Queria tanto fazer parte disso, mas não me deixaram entrar.

– Claro que não. O advogado não pôde suspender por completo suas visitas, mas conseguiu autorização para que você e o Diego apenas visitem Matt acompanhados por ele ou por alguém que ele nomeie, caso não possa estar presente. Matthew tem o direito de se recuperar longe dos danos que você traz à vida dele – falei, sem dó, ainda em voz baixa.

– Isso não é justo, ele é meu...

– O quê? – perguntei em tom de deboche. – Namorado? Amigo? Ou apenas *o outro*?

Eu podia ver tristeza em seu olhar, mas, de alguma forma, aquilo me fazia sentir melhor. Tremendo, ela respondeu:

– Você é tão suspeita de ter sabotado o carro quanto eu ou Diego.

– Engano seu, sou quase tão vítima nessa história toda quanto o Matt – provoquei, entre um sorriso.

– Pelo jeito você e o advogado têm se entendido.

Não respondi. Em partes, porque aquilo era verdade. No momento em que bati em Patrícia no dia anterior, pouco antes de eu ser sedada, tivemos uma breve conversa, na qual contei a ele toda minha dor pela traição dos nossos amigos e implorei para que ele conseguisse uma ordem que não permitisse que ambos entrassem naquele hospital. Por falta de provas, o que ele conseguira já era um grande avanço. Além disso, ele não era policial, apesar de ter credencial de investigador, portanto, havia sido uma notícia maravilhosa quando eu ouvira que Patrícia e Diego enfrentariam dificuldades e burocracias para verem Matt.

Lancei um último olhar agressivo a Patrícia e saí do hospital. Enquanto dirigia de volta para casa, a fim de comer alguma coisa antes de retornar para a sessão com a fonoaudióloga, toda a tristeza voltou a me invadir.

Assim, quando entrei em meu apartamento sujo e desordenado e tranquei a porta, escondendo-me do mundo, senti que, na verdade, a maior sujeira estava dentro de mim. Agachei-me em um canto da sala e chorei. Já não aguentava mais. Não iria suportar. Não dessa vez.

Levantei-me e corri para o ateliê, onde estava ele, o *Meu amor, latino*. Agarrei o quadro que fizera para Diego com toda força e toda a fúria de meu ser e o bati contra a parede repetidas vezes, até que ele se destruísse por completo. Eu pensava na traição. Pensava em Matt na cama do hospital. Pensava em mim mesma e no quanto viver doía.

Acima de tudo, destruí aquele quadro querendo destruir, dessa forma, também o meu amor por Diego.

Por que eu ainda o amava? Por que ainda o desejava?

Por que amar significava sentir tanta dor? Era impossível que significasse felicidade?

Então, pensei nos dias perdidos no meu passado, nos quais a única coisa que me dava forças para continuar viva era o uso de certas... substâncias.

Drogas.

Talvez fosse o momento certo para convidá-las a entrar novamente, considerando que fazíamos uma bela equipe. Entretanto, a coragem completa não me invadiu. Por melhor que a ideia soasse, eu sabia o quanto lutara para acabar com minha dependência.

Patrícia havia me ajudado.

Soquei a parede após aquele pensamento.

Falsa. Traidora.

Resolvi quebrar outras coisas, para espantar minha raiva e o amor que permanecia em meu peito, parecendo um pedaço do inferno dentro de mim. O resultado foi que quase fiquei sem as peças de arte que havia feito durante anos, havia quebrado quase tudo. Definitivamente, ficara sem louças intactas em meu armário.

Depois de tudo, caí num sono profundo, como se meu corpo estivesse no mais absoluto torpor. Não fui acompanhar a sessão de Matt com a fonoaudióloga.

32
Matthew

Eu já não sabia onde terminava meu corpo e começava a cama. Os limites eram indefiníveis.

Era estranho estar paralisado da cintura para baixo, depender de alguém ou de aparelhos para necessidades tão básicas. Tudo aquilo era uma forma de castigo.

Os médicos estavam diminuindo as doses de analgésicos para que eu ficasse acordado por períodos maiores, mesmo assim, eu ainda caía no sono com frequência, o que sempre era um alívio, um bálsamo.

Eu passava horas com a mente vazia, longe da prisão que meu corpo havia se tornado.

As profissionais que iriam me ajudar dali para a frente, a fisioterapeuta e a fonoaudióloga, pareciam muito competentes, mas será que conseguiriam obter sucesso com um paciente que ainda não havia decidido se, de fato, queria viver?

Ao pensar nas sessões do dia anterior, imediatamente pensei em Laura.

Era gratificante tê-la ao meu lado naqueles momentos. Ela era uma verdadeira amiga.

Quando Henry Morris me dissera sobre as questões que agora envolveriam as visitas de Patrícia e Diego e do quanto elas seriam mais escassas, meus sentimentos se dividiram.

Por um lado, a presença de Patrícia me acalmava, entretanto, aquilo não estava certo. Ela não merecia, não me amava de volta, talvez nem se importasse comigo. Então, eu deveria ouvir meu outro lado, que dizia que vê-la seria a eterna tentação a que eu me submeteria. Ela era como o fruto proibido, me atiçava, e eu jamais deveria sucumbir. Vê-la seria o maior castigo de todos, portanto, seu afastamento era a melhor solução.

Eu ouvira as duras palavras do advogado quanto à sabotagem em meu veículo. A verdade é que, com tantos assuntos acontecendo ao mesmo tempo, eu queria simplesmente ignorar todos e dormir. Só dormir. Mas eu tinha que fazer algo, visto que eu conhecia alguns detalhes daquele acidente que ninguém poderia imaginar.

A fonoaudióloga deixara uma prancheta com papéis e canetas ao meu alcance para que eu pudesse me expressar, era uma forma de dever de casa, segundo ela.

Peguei o papel e escrevi um bilhete que entregaria à Laura assim que ela viesse. Seu sumiço era preocupante, já que ela não participara da sessão com a fonoaudióloga, conforme prometera. Laura era tudo o que eu tinha para me apoiar, eu realmente desejava que ela não desistisse de mim como eu mesmo queria fazer em alguns momentos. Toda essa preocupação, no entanto, passou quando Laura apareceu horas mais tarde em meu quarto e pude entregar-lhe o bilhete que havia escondido sob meu travesseiro.

Acompanhei seu olhar perplexo, lendo e relendo as poucas linhas que eu traçara. Poucas, mas suficientemente destrutivas.

De boca aberta, ela me fitou por um instante, completamente perplexa:

– A Patrícia? – perguntou, por fim.

Apenas limitei-me a encará-la.

Naquele instante, Laura se aproximou de mim e depositou seu olhar no meu. Reparei que ela estava muito abatida e que seus cabelos estavam estranhos. Mesmo assim, pareceu linda para mim. Mais linda ainda quando sorriu e garantiu-me que faríamos justiça. A vontade de viver me acertou em cheio com aquele sorriso, do qual eu nem sabia se era digno.

33
Diego

Tudo estava sendo bem intenso.

Naquele dia, assim que saí da companhia de dança, após suar muito, gastar energia e tentar me livrar de pensamentos ruins, senti que estava renovado o suficiente para tentar visitar Matt.

Eu sabia o quanto aquilo seria chato, teria que pedir a autorização e o acompanhamento do advogado canalha, digo, Henry Morris, e certamente seria um processo demorado. Porém, era um lindo fim de tarde e, pensando bem, aquele seria o melhor momento para contatar o advogado. Pelo menos muito melhor que no meio do dia, quando ele estaria lotado de serviços e me ignoraria.

Eu estava a pé, havia deixado o carro em casa, como gosto de fazer com frequência, e aproveitei o vento calmo e gélido para caminhar até o hospital. De lá, algum funcionário ligaria para Morris a meu pedido, segundo as ordens pré-estabelecidas por ele.

O trajeto até o hospital era longo, mas eu adorava caminhar. Aproveitei aquele tempo para pensar em tudo, agora que estava mais calmo.

Lembrei-me da Colômbia e do quanto eu adorava caminhar de casa até a escola todas as manhãs e, mais tarde, fazer o caminho da volta.

Eu mantivera aquele hábito quando começara a viajar pelo mundo. Caminhadas ao ar livre sempre foram uma forma excelente de conhecer novos lugares. Eu ia andando e observando tudo, sentindo que mesmo que efemeramente eu pertencia àquele lugar, não importava qual país fosse, qual idioma fosse falado ali. Aquela era a forma de sentir-me em casa em qualquer lugar. Tais pensamentos, contudo, não duraram muito.

Logo, Patrícia juntou-se a eles. Afinal de contas, estar junto a ela era o sentido mais puro que eu conhecia de estar em casa.

Eu não sabia qual seria o nosso futuro, mas jamais desistiria. Isso era uma promessa que eu fizera a mim mesmo, pois sabia que apenas junto dela eu seria feliz.

Pensei em sua história, na narrativa sobre Londres, em como fora difícil o fim de sua gravidez e como era agora doloroso conviver com a escolha que ela fizera na época, de dar Cassandra à adoção – se é que os pais adotivos mantiveram esse nome.

Ela abrira seu coração de forma limpa e transparente a mim, eu deveria retribuir. O problema é que, com tudo o que estava acontecendo em nossas vidas, aquele realmente não parecia ser o momento certo de dizer certas coisas a ela; certas coisas que também poderiam ameaçar nossa relação.

Não, não podia arriscar. Tudo de que não precisávamos naquele momento era de mais revelações dolorosas e mais razões para nos afastarmos. Eu não sabia como ela iria reagir. Patel era tão maravilhosa, poderia ficar do meu lado quando soubesse de tudo, assim como poderia fugir, e eu compreenderia perfeitamente.

O segredo da minha vida.

De repente lembrei. Laura sabia!

Ela era uma das poucas pessoas no mundo para quem eu contara tudo, quando estávamos namorando. Não podia dizer que estava arrependido. Sabia que esse era o tipo de segredo que ela não revelaria a ninguém, mesmo após tudo o que passamos. Porém, também não podia negar que, assim como eu confiara nela, ela confiara em mim e eu havia sido um canalha. Não era errado me apaixonar por Patrícia, era errado ter feito as coisas como fiz.

Em meio a tantos pensamentos, as quadras e avenidas passaram tão rapidamente que, quando me dei conta, já estava no hospital em que Matt estava internado.

Perguntei-me se Patrícia estaria lá, pois eu gostaria de vê-la, mas prometera dar-lhe espaço e tempo. Seria excelente um encontro assim, casual. Entretanto, para minha infelicidade, ela não se encontrava na recepção. Pedi que a recepcionista seguisse o protocolo e telefonasse para Henry Morris. Ela folheou rapidamente alguns documentos confirmando meu pedido, porém, fitou-me e disse gentilmente:

– O doutor Henry Morris se encontra no prédio. Chegou há alguns minutos. Pude ver quando ele se dirigiu para a cantina na companhia de uma jovem.

– Uma jovem? – questionei, imaginando quem pudesse ser. – Ela tinha cabelos azuis?

– Sim. E muito bagunçados.

Dei uma leve risada, agradeci e segui direto para a cantina.

Aproximei-me da mesa em que Laura e o advogado tomavam café. O clima era estranho: ao mesmo tempo que pareciam descontraídos, também pude sentir que havia certa tensão ali.

Sem cerimônia ou convite, puxei uma cadeira e sentei-me junto a eles, que aparentemente se assustaram com minha atitude inesperada.

– Não o vi chegar – comentou o advogado.

Eu iria fazer algum comentário cínico, que já estava quase saindo de minha boca, quando notei um bilhete aberto em cima da mesa com a letra de Matt.

Laura, que me encarava com olhos ressentidos e pesarosos, em completo silêncio desde minha chegada, notou que eu observava o papel. Ela não fez questão de guardá-lo.

Assim que li as breves palavras de Matthew, olhei de Laura para Henry diversas vezes, incrédulo, querendo uma explicação.

– Isso não é verdade! – afirmei.

– Como você tem tanta certeza? Você sabe de algo que nós não sabemos? – indagou o advogado.

– Não. Claro que não. Mas a Patrícia jamais tentaria matar Matt, o namorado dela, ou qualquer outra pessoa.

– Segundo a informação que temos, as coisas não são como você pensa. Talvez seja melhor tomar cuidado, Diego. Matar namorados pode ser o passatempo predileto dela.

Levantei da cadeira e olhei-os com raiva. Não conseguia mais ler as expressões de Laura. Seus olhos, de repente, tornaram-se poços vazios. Ela conhecia Patrícia, era impossível que acreditasse naquela besteira. Então, por um segundo, Patrick me veio à mente: o primeiro namorado de Patrícia. Ele desaparecera desde a época em que namoraram, e também fora responsável por feri-la de forma irreparável, será que ela...?

Não. Eu jamais pensaria aquelas coisas.

Dei meia-volta e saí da cantina.

Havia desistido de ver o Matt naquele dia. Desistira até de caminhar e, chamando um táxi, fui para casa sentindo cada centímetro do corpo tremer.

O quanto Henry Morris havia descoberto?

O quanto ele sabia sobre o passado de Patrícia?

E sobre o meu?

Será que ele sabia do meu segredo?

34
Patricia

Eu olhava incrédula para a tela do computador.

Já era noite quando Henry Morris deixou meu apartamento, após se sentir satisfeito com o que encontrara. Matt dissera a ele, por meio de um bilhete, para checar o histórico de pesquisas do meu computador. Mas como o Matthew poderia saber que havia algo ali? Junto à polícia e de uma ordem legal para revistar meu aparelho, o advogado encontrou o que estava procurando: pesquisas sobre mecânica haviam sido feitas no meu computador no dia em que Matt sofrera o acidente. Páginas haviam ficado abertas por tempo suficiente para uma rápida leitura sobre o funcionamento exato das mesmas peças que foram adulteradas, fazendo com que, à alta velocidade, Matt praticamente não tivesse chance de sobreviver.

Mas ele sobrevivera.

Havia sido um milagre?

Milhares de pensamentos me atormentavam, enquanto eu tentava entender tudo o que havia acontecido. E foi naquele instante, em que eu sentia que minha própria vida havia se tornado um filme de terror e investigação criminal, que meu celular apitou. Uma mensagem de texto havia chegado.

Cheguei primeiramente o remetente, como de costume, porém, não reconheci o número. Abri a mensagem.

Ouvi o barulho do celular caindo no chão, após o soltar por impulso.

Minhas mãos tremiam; uma gota de suor deslizava silenciosa por minha face. Lembrei-me de respirar. Eu não podia acreditar no que havia lido. Que tipo de brincadeira era aquela?

Primeiro, uma prova que me incriminava era encontrada no meu computador. Em seguida, alguém me enviava as seguintes palavras por mensagem de texto:

FOI O DIEGO

Senti meu coração batendo contra as costelas. Mesmo assim, o ar parecia faltar.

Quem me enviara aquela mensagem?

O que aquela pessoa sabia?

Por que fazer esse tipo de jogo?

Respondi a mensagem com essas mesmas perguntas.

Passei a noite toda olhando para a tela do meu celular esperando uma resposta do misterioso acusador. Porém, nada mais chegou. Quando tentei ligar, o telefone estava fora de área. Eu tinha os números, mas sabia que pedir para a polícia ou para Henry Morris rastrear o aparelho poderia me custar muito caro. Eles teriam motivos para acusar Diego ainda mais e para continuar a suspeitar de mim. Sem contar que possivelmente o aparelho que originou a mensagem que recebi não poderia ser rastreado.

Lembrei-me da praia deserta e pensei no quanto tudo aquilo fizera parte do – possível – plano.

Como uma noite tão maravilhosa poderia trazer tanta dor? Como o paraíso poderia rapidamente se transformar em inferno?

Pensei no pobre Matt. O acidente havia sido um susto para todos, mas havia sido muito pior para ele. E, talvez, para um de nós não houvesse sido verdadeiramente uma surpresa. Mas quem estava mentindo?

Lembre-se de não confiar cem por cento nas palavras que você está lendo. Elas podem ser reescritas. Nada é definitivo.

Toda e qualquer palavra pode ser uma farsa, assim como as emoções que tenho testemunhado nos últimos dias. Tudo pode ser parte do plano que encobre a verdade.

Quem está mentindo?

35
Laura

Eu não sabia o que seria de mim sem minha arte.

Claro que eu poderia refazer tudo e recriar as peças, mas nunca seria a mesma coisa. Cada peça é única e representa exatamente o que estou sentindo no momento em que a crio. Se eu já não era a mesma, como minhas peças seriam após tanta destruição?

Destruição.

Era exatamente isso que eu sentia que estava acontecendo em minha vida e que eu causara a minhas peças. Cacos. Perdas irreparáveis. Nenhuma de minhas obras voltaria a ser como antes, mesmo se eu as remendasse da melhor maneira possível.

Era assim comigo também em muitos sentidos. Nenhuma cola uniria meus pedaços da maneira como eram, nem com garantia de que não se soltariam; nenhuma agulha e nenhuma linha com que eu tentasse costurar minha vida a deixaria sem marcas. Os rasgos eram profundos e numerosos. Inevitavelmente os sinais de reparação estariam ali para sempre.

Isso tudo era uma droga.

Droga! Droga! Droga!

Quando saí de meu refúgio – tanto de minha casa, na qual eu me escondia do mundo, quanto de minha própria vida introspectiva –, meus olhos doeram com a claridade do céu e fui obrigada a estreitá-los até que se acostumassem com a luz mais uma vez.

Olhei para as pessoas que passavam por mim nas ruas e quis gritar com elas, agredi-las. Hipócritas! Todos caminhavam como se o mundo fosse perfeito e como se a vida fosse fácil de ser vivida. Ninguém sabia o que se passava dentro de mim, ninguém imaginava o quanto minha vida se perdera, e que um dia isso poderia acontecer com qualquer um deles. Senti raiva do mundo por continuar girando e da vida por continuar acontecendo, quando um verdadeiro caos tomava conta de mim e de tudo com que eu me importava. Era como se um terremoto tivesse acontecido em mim, mas apenas em mim, sem atingir nada ao meu redor.

O mundo continuava o mesmo e isso me fazia odiá-lo ainda mais.

36
Patrícia

Os dias passaram tornando o mundo um ambiente cada vez mais hostil para mim e para meus sentimentos confusos e dolorosos. Aquela não parecia minha vida, tudo estava diferente e eu já não reconhecia mais nada.

Não havia tido notícias de Laura. Nossa amizade estava completa e inegavelmente perdida, e eu rezava para que um dia reencontrássemos o caminho de volta. Ela sempre fora minha família e, por mais que eu a tivesse magoado, que tivesse feito tudo errado, nunca desejei perdê-la. Era estranho pela primeira vez não saber como estava a vida dela. Contudo, se eu tivesse que adivinhar, diria que ela estava se revezando entre o hospital, para visitar Matt, e o trabalho. Pensando bem, ela devia realmente estar bem presa ao trabalho, pois essa sempre fora sua forma de extravasar.

Henry Morris continuava a investigar as pesquisas em meu computador, entretanto, aquela não era uma prova conclusiva, portanto, ele iria precisar de muito mais para me acusar formalmente – embora, de maneira informal, tivesse feito isso todas as vezes em que, infelizmente, nos cruzamos no hospital.

Eu mesma resolvera contratar um advogado e, sem muito esforço, consegui o direito de visitar Matthew normalmente. Ah, incluí Diego nessa, embora tenha pedido a ele para evitar ir no mesmo horário que eu. Vê-lo e não poder abraçá-lo traria ainda mais dor ao meu peito e eu sem dúvidas não podia lidar com isso.

Em respeito a Matt e a tudo o que estava acontecendo em nossas vidas, eu e Diego não podíamos ser um casal, e eu realmente não sabia se um dia poderíamos.

Cansei de chorar por tudo, de passar noites em claro, de sentir tanta solidão. *Nós quatro* já não éramos *nós quatro* desde a noite do acidente. Ou devo dizer, desde a noite em que eu e Diego nos beijamos? Às vezes eu costumava pensar que meus pecados deviam ser maiores do que eu julgava, pois a punição certamente estava me causando um sofrimento que eu jamais pensei sentir.

Minha vida agora se resumia aos meus pacientes. A vida profissional ia bem, enquanto tudo mais ia de mal a pior. Era o preço que eu estava pagando e deveria aceitar. Após finalizar minhas consultas mais cedo em uma sexta-feira, decidi visitar Matt. Eu conhecia suficientemente as agendas da Laura e do Diego para saber que eles não estariam ali, por isso fui em um dia em que estaria a sós com ele, pois precisávamos desse tempo, já que não havia tido isso propriamente desde que... Bem, desde que tudo acontecera.

Finalmente, podendo visitá-lo de forma adequada e sem a presença do canalha do Morris – como diria Diego –, me vi feliz e apreensiva ao percorrer aqueles corredores do hospital até o quarto privado em que Matt ainda se recuperava do acidente.

Quando entrei, um enfermeiro estava no quarto movimentando as pernas de Matthew em exercícios cíclicos.

– Sou a Patrícia, vim visitá-lo – expliquei ao enfermeiro, que me lançou um olhar interrogativo e voltou aos exercícios.

– Você é amiga dele?

Olhei para o Matt, pensando naquela palavra. *Amiga?*

Ele mantinha os olhos parados, fitando o teto do quarto e não demonstrou qualquer reação com a minha presença ou mesmo com a pergunta, cuja resposta poderia ser esmagadora.

Apreensiva, respondi:

— Sim.

— Algumas vezes por dia nós nos revezamos para movimentar as pernas dele, da forma como a doutora Liah, a fisioterapeuta, recomendou. Na situação dele é imprescindível fazer isso, não apenas pela musculatura, mas também para evitar a formação das escaras.

— Entendo — falei, aproximando-me da cama —, gostaria de ajudar.

— A outra moça costuma fazer isso uma vez por dia.

— A Laura?

— Sim, creio que seja esse o nome. Ela tem o cabelo azul, como o seu, mas é mais claro e cheio de mechas brancas.

— É a Laura — repeti. Senti um ciúme repentino e inexplicável com aquela informação. — Por favor, me mostre como fazer, eu quero ajudar.

Nesse momento, Matt por fim direcionou o olhar para mim.

Por alguns instantes eu podia jurar que vi uma raiva contida e incômoda nele. Algo com o qual talvez nem ele soubesse lidar, mas pouco depois sua expressão se suavizou e pude ver o quanto ele estava sofrendo: solidão, tristeza, medo, tudo estava ali, prendendo-o àquela cama.

O enfermeiro me mostrou como fazer os movimentos com a perna de Matthew. Comecei o procedimento e pude sentir que aquilo me fazia muito bem, era reconfortante estar ali e poder ajudar de alguma forma. Era maravilhoso estar perto do Matthew novamente. Em nenhum momento ele sorriu, mas pude perceber que também sentira algo bom ao meu toque. Continuei com os exercícios. O enfermeiro me disse que seria necessário fazê-los por, pelo menos, mais quinze minutos. Ao finalizar eu poderia levar Matt para um passeio no jardim, como a *outra moça* costumava fazer. Sentindo novamente aquele estranho e inapropriado ciúme ao pensar no quanto Laura estivera próxima de Matthew todos os dias em que eu não estive, reparei que o enfermeiro apontava para um canto da sala, onde havia uma cadeira de rodas.

— Você vai precisar de ajuda para colocá-lo lá. Posso voltar em quinze minutos para auxiliar.

— Claro, obrigada — agradeci.

O simpático enfermeiro saiu do quarto deixando-nos sozinhos.

Por um instante eu não soube muito bem o que dizer e a situação tornou-se constrangedora. Continuei fazendo os movimentos com suas pernas, e por breves segundos percebi seu olhar em minha direção. Retribuí.

— Desculpe não ter vindo antes. Você sabe que encontrei problemas com o advogado, ele sempre arrumava uma maneira de adiar as visitas quando eu solicitava. Agora, porém, poderei vir quando quiser.

Ele continuou a me olhar. Eu sabia que ele ainda não voltara a falar, entretanto, esperava algum tipo de reação de sua parte. Mesmo assim, falei:

— Espero que essa seja uma boa notícia.

Novamente, ele nada expressou e perguntei-me se aquela era a forma de ele dizer que não me queria ali. Pensei que o melhor a fazer seria parar de pensar besteira e não exigir tanto daquela situação.

Fiquei em silêncio por mais alguns minutos, então, cedendo ao peso de seus olhos sobre mim, derramei uma lágrima e pedi:

— Por favor, não acredite que fui eu que sabotei o carro.

Ele estendeu uma mão em minha direção, e a apertei com força. Novas lágrimas caíram.

— Eu amo você, Matt — declarei-me. E era verdade. Apenas não era da forma como havia demonstrado no tempo em que namoramos. Mas, sim, eu o amava. Como irmão, como amigo, como alguém que eu queria para sempre em minha vida, e cuja dor de tê-lo ferido eu carregaria até o fim.

Trocamos olhares com intensidade, até que o enfermeiro entrou no quarto novamente. Os quinze minutos passaram sem que eu percebesse. Parecendo um pouco constrangido por interromper nossa silenciosa conversa, ele dirigiu-se ao canto do cômodo e pegou a cadeira de rodas. Matt já estava se acostumando a usá-la e, com nosso apoio, foi um processo consideravelmente simples. Sorri e agradeci o prestativo enfermeiro; então, levei Matt para um passeio, pensando em quantas vezes Laura teria feito aquilo.

Ele parecia gostar de sair do quarto e ver os corredores e pareceu feliz em ver o céu quando chegamos ao jardim. O hospital era um prédio muito bonito e seu jardim nos trouxe paz.

Caminhei com ele pela trilha de cimento, sem nada dizer, deixando que ele aproveitasse aqueles instantes em que podia sentir que estava tudo bem, mesmo que não estivesse.

Sentando perto de algumas flores, parei a cadeira do Matt ao meu lado. Não falei muita coisa. Pelo menos, não falei mais nada intenso. Tentei deixar aquele momento especial e calmo apenas jogando conversa fora, falar do dia, do meu trabalho e de um filme que havia visto e que ele iria adorar.

Mais tarde, quando deixei Matt em seu quarto, repousando na cama, doeu-me o coração por ter de ir embora sabendo que ele estaria de volta preso à sua solidão. Arrependi-me de não ter ido visitá-lo antes.

Pelo menos, ele tivera a Laura por todo esse tempo, pensei, contrariando a mim mesma e aos meus sentimentos duvidosos.

Dei um beijo em sua testa, sorri e caminhei até a porta.

Acenando, saí sem dizer adeus ou mesmo até breve.

Eu me lembrava bem das palavras de Diego naquela noite em que nos encontramos no lago, próximo ao Beira-Mar. Se os tempos difíceis passam, as pessoas fortes não. Essas ficam e encontram o caminho da redenção.

Estava disposta a fazer aquilo, a acabar com toda aquela situação horrível que nos envolvia. A *nós quatro*.

A visita a Matt me fizera querer viver de novo.

Bati à porta.

Ninguém atendeu. Olhei para o relógio em meu pulso. Pelo horário, ele já devia estar em casa. Bati novamente, sabendo que eu estava onde deveria estar. Ele abriu a porta e um sorriso gigantesco banhou seu semblante:

— Patel?

— Posso entrar?

Ainda sorrindo, Diego gentilmente me indicou que entrasse. Sem cerimônia, sentei-me no sofá.

— Você quer um chá, um café, um suco?

— Não, obrigada — agradeci em tom sério, mostrando que eu não estava ali para uma visita casual.

— Eu não esperava que você viesse. Pensei que não queria me ver...

— Preciso de sua ajuda.

Ele assentiu com a cabeça.

— Qualquer coisa de que você precise, Patel.

— Andei pensando muito sobre tudo isso e fiz uma lista, quero mostrá-la a você e ouvir sua opinião.

— Uma lista? — ele me interpelou, sem entender do que eu falava.

— Sim. De suspeitos. Eu pesquisei e listei as pessoas que teriam motivos para querer a morte de Matthew.

Ele respirou profundamente e não pude compreender o que estava pensando de tudo aquilo.

— Foi difícil fazer a lista porque Matt realmente não tem inimigos.

— Então quem está nessa lista? — ele perguntou, ainda ressabiado.

— Eu, você, a Laura. E mais duas pessoas.

— Você acha que um de nós...?

— Não sei, não quero descartar ninguém — afirmei.

Percebi que ele não gostara muito daquilo, mas continuei a falar:

— As outras duas pessoas foram incorporadas à lista depois de todas as informações que consegui reunir. Acredite, tive que pesquisar muito, e contei com a ajuda de meu novo advogado.

— Você parece ter estado ocupada durante todos esses dias em que estivemos afastados — ele falou, aborrecido.

— Sim, muito. Agora, preste atenção. Um grande suspeito é um tal de Kim. Ele trabalha no mesmo laboratório que Matthew e ao que parece perdeu um financiamento de pesquisa para Matt. Os dois concorreram à mesma vaga, mas o projeto do nosso amigo foi aprovado e garantiu a bolsa. Kim parece ter ficado arrasado com tudo isso e agora trabalha no mesmo projeto de Matt, como se fosse um funcionário dele.

— Parece uma situação humilhante — Diego afirmou.

— Foi o que pensei. Porém, não podemos dimensionar o quanto ter o próprio financiamento representava na vida dele.

— Creio que muito.

— Sim. Mas o suficiente para tentar matar um colega?

Diego não respondeu. Era muito cedo para responder àquilo.

— Quem é a outra pessoa? — ele sondou.

— A tia de Matthew.

— Aquela que morava na casa dele antes de ele decidir se mudar? Pensei que ela havia desaparecido sem nem se despedir...

— Foi isso mesmo. Porém, meu advogado conseguiu seguir os rastros dela. Acredite, ela vive no Havaí e, pelo que descobrimos, está casada com um antigo funcionário da família de Matthew, que sempre cuidou do jardim da linda casa em que Matt agora vive.

— Ela fugiu com o jardineiro da família? — Diego parecia confuso, achando a situação engraçada.

— Isso mesmo. Teoricamente, eles não fizeram nada de errado. Eu até me lembro de Matt comentar que estava procurando um novo jardineiro, mas creio que nem ele saiba a verdade por trás do sumiço dos dois.

Diego soltou uma risada gostosa, que fez todo meu corpo estremecer de tanta vontade que eu tinha de me enroscar em seu pescoço e beijá-lo até o amanhecer. Beijá-lo pelo corpo todo, até cair exausta no sono. Fechei os olhos e respirei fundo, tentando afastar aqueles pensamentos.

Na verdade, fechei os olhos até que ele parasse de rir. Aquilo era demais para eu suportar.

— Como você disse — ele voltou a falar —, eles não fizeram nada de errado ao fugir, certo?

— Certo. Porém, é uma situação estranha. A tia dele é sua única parente viva. Ela podia não saber exatamente sobre o testamento e sobre como ele deixara tudo para nós. Talvez ela pense que tudo ficaria para ela. É uma bela fortuna, não sei quais são as condições em que ela e o jardineiro vivem no Havaí, mas creio que não são as melhores. Pelo que eu encontrei em minhas pesquisas, Matthew a sustentava enquanto ela viveu na casa da família, até desaparecer sem deixar notícias.

— Algo parece não se encaixar nessa história... — Diego declarou, pensativo.

— Também acho. Por que ela iria embora sem se despedir?

— Não, eu não me referia ao sumiço da tia com o jardineiro.

— Referia-se a que, então?

— A você — ele falou, sem me fitar —, você está obcecada de uma forma estranha com tudo isso. Nunca pensei que pudesse fazer essas investigações, essa lista...

— O que você está querendo dizer? Eu só quero saber a verdade, quero nossa vida de volta, quero Matt tranquilo, pelo menos sabendo quem tentou matá-lo de forma covarde...

Não consegui dizer mais nada.

Saí do apartamento de Diego sem ouvir seus protestos para que eu ficasse e seus pedidos de desculpas. Tudo o que eu sabia era que muita coisa não estava se encaixando naquela história, e que ter ido até ali havia sido um erro.

37
Matthew

A presença diária de Laura em minha vida era uma dádiva e me fazia aguentar tudo. Era tão boa que me fazia suportar a ideia de que talvez eu nunca mais voltasse a andar.

A visita de Patrícia no dia anterior, por sua vez, despertara sentimentos que estiveram adormecidos em mim nos últimos dias. Eu ainda a amava e não podia perdoá-la. Por outro lado, sua face perfeita, suas lágrimas emocionadas quando falava comigo, seus sorrisos discretos... Tudo fizera com que eu quisesse levantar daquela cama e correr para seus braços. O quão idiota eu era por pensar e querer isso?

Ela e meu melhor amigo haviam me traído e eu com certeza não era capaz de esquecê-la, mesmo que ter Laura ao meu lado estivesse fazendo eu me sentir melhor.

Cheguei a ter um pensamento desconexo: se Laura não estivesse comigo, me fazendo tão bem, talvez meu coração estivesse ainda mais endurecido e eu não tivesse sido capaz de suportar a volta de Patrícia à minha vida.

Isso fazia sentido?

De qualquer forma, Laura me fazia bem de uma forma que nunca pensei e menos ainda que isso fizesse com que me sentisse uma pessoa melhor, de coração mais aberto. Não capaz de perdoar Patrícia por completo, mas capaz de me lembrar do quanto ela era especial e por que eu a amava tanto.

No dia seguinte à visita de Patrícia, despertei cedo, sentindo vontade de falar, conversar com alguém, assim como de mover minhas pernas.

Nunca, em todos aqueles dias em que estive no hospital, fora tão difícil conviver com as incapacidades que agora eu tinha. Eu queria gritar a mim mesmo que ia ficar tudo bem, mas a voz não saía; queria mover minhas pernas, sentir o chão, caminhar até cansar, até estar tão longe a ponto de não saber o caminho de volta para casa.

Mas. Eu. Não. Podia.

Era ruim demais simplesmente não poder.

Eu estava sozinho no quarto quando gritei.

Nenhum som saiu, mas fiz como se estivesse gritando. Foi uma sensação maravilhosa. Então, movi minhas pernas – mesmo que apenas em minha imaginação – e chutei o ar que me rodeava.

Naquele instante, vi de soslaio quando Laura entrou no quarto. Ela apenas me observou e sorriu.

– Matt, o que é isso? – Ela parecia confusa.

Só então notei que Laura apontava para minha perna ao fazer aquela pergunta, com o sorriso mais doce que já vi em seu rosto. Eu estava movimentando uma de minhas pernas. Era um movimento pequeno, para a lateral. Quase imperceptível.

Mas era real.

Ela correu e me abraçou.

Naquele dia fiz mais alguns exames. A doutora Liah e o doutor Don ficaram realmente otimistas e aquele sentimento também me invadiu, pela primeira vez. Em breve eu teria alta e poderia continuar o tratamento em casa e em visitas periódicas à clínica de reabilitação. Acima de tudo, havia uma chance considerável de eu recuperar os movimentos parcialmente. Se eu pelo menos pudesse dizer a alguém o quanto estava feliz! Há tempos não me sentia daquela forma.

Estava com o coração leve e segurava a mão de Laura quando os acontecimentos seguintes borraram a imagem cristalina que aquele dia representava em meu inferno pessoal: Patrícia e Diego entraram no quarto. *Juntos*. Não estavam de mãos dadas e, segundo eles mesmos disseram, havia sido uma coincidência terem chegado no mesmo momento, só que todos conhecemos Laura para saber que aquilo despertaria seu monstro interior, ainda mais após uma conquista tão grande em meu processo de recuperação, levando em conta que ela certamente não queria que Patrícia e Diego compartilhassem aquele momento conosco. Soltando minhas mãos, ela parou no meio do quarto fitando os dois e tremendo de raiva.

– O que estão fazendo aqui? – Laura interpelou em voz alta. – E juntos? Como têm coragem?

– Nós não combinamos. Apenas queríamos ver Matt... – Ouvi Patrícia dizer.

– Como ousam entrar aqui JUNTOS? – Laura estava definitivamente gritando.

– Laura, acalme-se, se os enfermeiros a ouvirem gritando, você será suspensa – Diego tentou abrandar a situação, fazendo gestos para que ela falasse mais baixo.

– Você está certo. Aliás, você está certo de vir aqui hoje e trazer sua namorada, afinal, já era hora de Matt saber. – Virando-se para mim, ela continuou: – Você sabia, Matt, que os pombinhos estavam se beijando na noite do acidente que o deixou paraplégico?

– Não! – Diego pediu. Mas era tarde demais. Quando qualquer um de nós se deu conta, as palavras já haviam saído e pairavam no ar sobrecarregando o clima do quarto.

Patrícia levou as mãos à boca e balançou a cabeça como se não pudesse acreditar no que estava acontecendo. Sua bela face, coroada por um chapéu estampado e alegre, subitamente revestiu-se de tristeza e pesar.

Desviei meu olhar para o teto do quarto, pois era meu jeito de dizer que não queria mais fazer parte daquela cena.

Sem que qualquer um deles soubesse, eu sabia. Eu vira o beijo, a praia deserta, a traição. Era uma pena não poder dizer tudo o que estava pensando naquele momento, pois minha raiva havia voltado; a mesma raiva incrivelmente perturbadora que eu sentira na noite do acidente.

Deixei-me perder no silêncio daqueles instantes pesarosos ao lembrar-me do acidente e do fato de meu carro ter sido sabotado criminosamente a fim de me matar.

Todos ali pareciam suficientemente machucados a ponto de terem perdido a cabeça. Eu não conhecia a profundidade dos mares revoltos que banhavam seus corações, mas sabia que ninguém estava feliz com o que a vida nos apresentara nas últimas semanas, nem mesmo o *casal*.

E eu também não podia dizer que gostaria de acusar qualquer um deles de tentar me matar, mas a verdade era que alguém ali estava mentindo.

Pense bem antes de tirar qualquer conclusão. Eu mesmo ainda tenho coisas a contar. Todos nós temos, disso tenho certeza.

Qualquer cena, de uma perspectiva nova, pode ter outro significado. Quais são suas suspeitas?

Quem de nós quatro está mentindo?

38
Diego

Corri atrás de Patrícia.

Após a revelação de Laura, tudo o que ela fez foi olhar para Matt e pedir desculpas, mas ele não pareceu prestar atenção, sendo impossível dizer o que se passava em sua cabeça naquele instante. O pobre nem podia se expressar e confesso não ter me esforçado para buscar seu olhar.

Laura, por sua vez, mostrava um misto de arrependimento – provavelmente por ter causado ainda mais problemas a Matt – e de satisfação, ao ver o sofrimento que nos trouxera.

Patrícia a encarou por alguns minutos antes de sair e eu soube que as duas amigas, que tanto se amaram como irmãs por toda a vida, não se reconheceram naquele olhar.

Ela saiu em disparada do hospital e a segui até seu apartamento. Por mais que ela quisesse ficar sozinha, fiz questão de permanecer e deixar que chorasse em meu colo, já que não havia mais nada que pudéssemos fazer. Ela chorou por muito tempo e mantive-me forte para apoiá-la, e por mais que me doesse, não podia desmoronar também.

Num ímpeto, ela desvencilhou-se de mim esbravejando:

– Foi a Laura!

— Do que você está falando? Descobriu alguma coisa em suas investigações? – perguntei, preocupado.

— Não. Estou apenas dizendo o que sinto. Laura tentou matar Matt, Diego, você tem que acreditar em mim! – Ela chorava muito.

— Eu acredito, Patel, mas o que você está dizendo é muito grave. Como pode ter certeza?

— Eu vou provar! Tenho certeza de que foi ela que me enviou a mensagem...

— Que mensagem? Você nunca me contou! Veio do celular dela?

— Não, veio de um número desconhecido. Mas tenho certeza de que foi ela que enviou, incriminando você.

Não consegui dizer nada. Todas aquelas informações giravam em minha mente. Laura tentara me incriminar? Ela enviara uma mensagem a Patrícia?

Aparentemente, alguém fizera isso, mas por quê?

Patrícia continuou a contar sua teoria:

— Ela armou para mim deixando aquelas páginas no histórico do meu computador; depois, enviou a mensagem para brincar comigo. Tenho certeza!

— Mas não foi Matt que escreveu um bilhete sobre o histórico do seu computador? – questionei, confuso.

— Você acredita nisso? Tudo pode ser mentira, tudo pode ser o contrário do que imaginamos. Alguém está mentindo nesta história. Tenho certeza de que é a Laura e de que ela foi baixa a ponto de tentar matar o meu namorado para me incriminar e acabar com a minha vida! Ela me odeia!

— Patel, acalme-se, por favor.

— Como posso me acalmar? Ela ama você, Diego! Ela ainda ama! Você não percebeu? Ela queria acabar com a minha vida, me mandando para a cadeia por um crime que não cometi! Eu não me surpreenderia se nos próximos dias aparecesse uma prova conclusiva de que fui eu que sabotei o carro de Matthew!

— Então você acha que ela deixou aquelas páginas no histórico do seu computador e depois deu o bilhete para Henry Morris, dizendo que fora escrito por Matt?

— Sim! Você não vê? É o plano perfeito! O Matthew não pode dizer nada, o advogado o tem poupado dos detalhes para não atrapalhar a sua recuperação. Nós nem sabemos se ele voltará a falar. Laura mentiu sobre como o bilhete foi escrito, tenho certeza!

Fiquei a alisar seus cabelos achando que tudo aquilo era uma loucura muito grande e que as coisas estavam ficando mais complicadas do que eu poderia supor.

Segurei a face de Patrícia com as mãos e falei com intensidade:

— Juro que isso tudo vai passar, nós vamos descobrir a verdade e vamos ficar juntos, prometo. Eu te amo tanto.

— Eu também te amo — ela se declarou, e meu coração se encheu de vida por um instante.

— Sabe, nunca fui de rezar muito. Sempre pensei que Deus tem coisas muito importantes para se preocupar, com tanta gente passando fome, sofrendo com doenças terríveis, com guerras e famílias desesperadas; nunca quis tomar o tempo Dele com minhas besteiras. Mas prometo a você que a partir de hoje irei rezar, com toda a força do meu ser, para que Deus nos envie a verdade e acabe com nossa agonia.

Entre lágrimas, ela sorriu com sinceridade.

— Foi a Laura, foi a Laura — continuou a repetir entre sussurros.

Tudo o que eu sabia era que, até o fim desta história, alguma cena teria de ser reescrita.

39
Laura

Cheguei em casa cambaleando. O peso do mundo caía sobre mim; o peso das minhas escolhas, das minhas palavras.

Matt não expressara nada após minha revelação, mas vi em seus olhos a dor que lhe causei, porque busquei por ela. Por mais que ele merecesse saber e, principalmente, por mais que eu quisesse denunciar a traição de Patrícia e Diego só para ver as expressões escandalizadas deles – como, de fato, aconteceu –, eu não tinha o direito de perturbar Matthew durante sua recuperação. Ainda mais no dia em que sua perna apresentou um discreto movimento. Podia ser um tremor involuntário, podia não ser nada, mesmo assim, ele tivera esperança por alguns momentos. E eu podia ter estragado tudo.

Ele ainda nem podia falar e se defender sozinho, ou mesmo xingar os traidores.

Como fui idiota colocando Matt em uma situação horrível e que podia ser adiada para não colocar em risco todo seu esforço até o momento!

Em toda essa história não houve um dia em que eu me sentisse tão horrível quanto naquele momento. A dor que eu causara a Matt agora me afligia. Como se isso não fosse punição suficiente, eu ficava me lembrando das expressões de Diego e Patrícia, dois traidores que tiveram a coragem de aparecer no hospital e de visitar Matt juntos! Minha vontade era de quebrar a cara dos dois, assim como haviam feito comigo, com meu coração, com cada lasquinha da minha dignidade.

Desde quando a desgraça se instalou em minha vida, eu aprendera a lutar contra os dias que se seguiam: lutar para sobreviver e para ficar bem. Assim, aprendi a duras penas que, quando se tem uma dor descomunal, um dia a gente vence a dor e, no outro, a dor é quem vence a gente, e a vida segue, cíclica. Uma luta para apenas sentir-se bem.

Entretanto, agora eu já pensava que a dor havia me vencido. Entreguei-me de corpo e alma aos seus braços aninhando-me em seu colo mórbido e doentio, e tudo o que eu quis foi sumir do mundo e ficar com ela, a minha dor. Porque ela era minha, só minha, e era tudo o que eu tinha.

Atropelando todas as roupas e os objetos espalhados pelo apartamento bagunçado, fiz a ligação que eu não deveria ter feito.

Ou talvez, pensando bem, que eu deveria ter feito antes.

Meus olhos estavam vermelhos, minhas narinas ardiam, o mundo girava.

Tudo o que eu ouvia era o som do meu próprio riso.

Eu não poderia dizer há quantas horas estava caída no canto do meu quarto conversando com a desgraça. Eu contava a ela sobre minha vida, mas sua resposta era apenas o silêncio. Claro, não era do tipo que falava muito; ela era do tipo que agia. E como agia em minha vida essa tal desgraça!

Eu ri junto a ela, caí, adormeci, acordei, vomitei e dormi em cima do próprio vômito. Quando enfim me levantei, foi para engatinhar até o canto em que estavam meus pacotes, minhas drogas, minhas cervejas e minha vodca, encomendadas pelo telefonema fatal que eu dera mais cedo, para minhas antigas *fontes*. Tudo era lindo na presença de minhas ilustres companheiras! Fui imensamente feliz por aqueles breves instantes que, de tão breves, me trouxeram o desespero.

Deixei-me cair mais uma vez sobre o piso pegajoso, coberto por vômito e bebidas. Entrei em um sono profundo, senti-me tragada pela terra. Lembro-me de ter pensado que aquele seria o fim perfeito.

A desgraça me espiou e caiu na gargalhada.

Implorei a ela que fizesse silêncio. Estava atrapalhando meu sono.

Abri os olhos sem ter noção de quantas horas dormira. Olhando pela janela, percebi que era noite, estava tudo escuro e silencioso demais. Tentei ficar em pé, mas apenas nessa singela tentativa, senti todo meu corpo doer e se contorcer, como se eu tivesse levado uma surra, não conseguindo me equilibrar tampouco sustentar meu próprio peso.

Fiquei por alguns instantes ali, no chão do quarto, olhando ao redor: as garrafas, os pacotes vazios, as dores no meu corpo, na minha cabeça e na minha consciência. Tudo me lembrava do que eu fizera.

Uma recaída.

Mas era aquilo que eu queria? Voltar àquela vida? Voltar a ser quem eu lutara tanto para deixar no passado?

Perguntas complexas que não podiam exigir respostas imediatas de mim.

Mais uma vez, tentei me levantar.

Escorando-me nas paredes e nos móveis, caminhei pela casa, acendi todas as luzes, tomei água. Muita água. Vomitei mais uma vez.

Por um impulso, fui ao ateliê. Após destruir tudo em meu último ataque de fúria, aos poucos eu havia voltado a trabalhar. Não tinha peças prontas para expor e conseguira recuperar muito pouco de tudo que estilhacei naquele dia, porém, eu havia recomeçado de alguma forma. Passara as últimas semanas dividindo meus dias entre as visitas a Matt e meu trabalho.

Pensei se havia sido perda de tempo; caso eu entrasse para a jornada da destruição mais uma vez, eu não sairia dela. Sabia que seria sem volta. Logo, fui preenchida pelo pensamento infame de que toda a minha vida era sem volta e que sem a ajuda dos meus vícios jamais conseguiria viver mais um dia. Não, eu não podia continuar com aqueles pensamentos. Era muito para lidar naquele momento e eu não queria ser muito dura comigo mesma.

Foi então que meu olhar pousou sobre os restos do *Meu amor, latino*, que eu deixara reunidos em um canto da bancada do ateliê.

Eram pedaços da tela, lascas que nada representariam a quem as visse, mas que certamente representavam muito para mim: representavam o motivo de toda a minha dor, de meu sofrimento infindável.

Abri o lixo e joguei cada pedacinho, sentindo-me muito melhor.

Assim que fechei o lixo, lembrei-me do dia da exposição na qual eu apresentaria o *Meu amor, latino* ao público e, principalmente, a Diego, minha inspiração.

Cambaleei por todo o apartamento em busca de mais bebidas ou de qualquer outro consolo que encontrasse para afogar minha dor.

Nada.

Eu acabara com tudo antes de cair exausta no sono. Praguejando e chutando o ar, peguei as roupas e os objetos que estavam no chão e os arremessei para todas as partes do apartamento, tornando-o um lugar ainda mais inabitável.

Num ímpeto, peguei uma tesoura e fiz cortes em meu braço e em minha barriga apenas para espantar a dor da alma, para que minha mente se focasse na dor dos cortes e me desse um momento de alívio da dor mais cruel que eu sentia.

Funcionou, de certa forma.

Os cortes ardiam e vertiam filetes de sangue que me recobriram de pequenas gotas vermelhas, fazendo de mim mesma a minha grande obra de arte daquela noite. A grande noite de minha exposição.

Não importava que eu não tivesse público, já que eu realmente não queria que o mundo me visse naquele momento. Ninguém seria capaz de compreender, mas todos iriam achar-se no direito de me julgar.

Não, não se julga quem está sofrendo. Cada um lida com a dor da forma que pode! Acima de tudo, não se julga alguém atormentado pelos próprios demônios!

Na tentativa de fazer de mim a maior obra de arte daquela noite, ainda mais completa, expressando tudo o que estava sentindo, com a mesma tesoura com que me cortei, aproveitei e cortei todo o meu cabelo.

Sem nem olhar para o espelho, brinquei com a tesoura como pude, deixando os fios bem curtos e desornados, quase próximos do couro cabeludo.

Senti-me livre de tudo aquilo. Senti-me pronta, perfeita, falsamente feliz.

Caí no chão e adormeci mais uma vez.

Acordei com os raios do sol pesando sobre meus olhos.

Inferno! Deixara uma cortina aberta.

Levantei do chão imundo e a fechei. Tudo o que eu queria era o silêncio do meu próprio mundo.

Senti que as feridas que eu mesma fizera em minha pele doíam, mas, no fundo, fiquei satisfeita de tê-las comigo.

Caminhando lentamente pelo apartamento destruído, passando pelo canto forrado de restos do meu cabelo azul e branco e pelo canto em que eu me drogara e embebedara, uma sensação de vazio me preencheu.

Patrícia me ajudara da outra vez.

Quando era mais jovem e saí de casa perdida na vida, encontrei consolo nas drogas e no álcool sem nem perceber como entrara naquela situação. E ela me estendera as duas mãos e me ajudara de uma forma que ninguém nunca fizera. Não me julgou, não perguntou meus motivos, não me abandonou por um instante sequer, como todas as outras pessoas fizeram.

Na verdade, não havia motivos exatos, tirando o fato de eu brigar diariamente com minha família e não ter um propósito, uma paixão na vida. Eu não me encontrava, não me aceitava naquela época e pensei que os vícios trariam as respostas, trariam a felicidade que eu buscava.

Foram anos difíceis, mas venci. Encontrei, então, minha paixão na arte e, mais recentemente, em Diego. Eu estava tão feliz com tudo o que sempre quis, que pensava não ser merecedora daquilo.

E foi aí que a mesma Patrícia, que da primeira vez me deu as mãos e me levantou do fundo do poço, agora me atirou sem piedade num poço ainda mais fundo e lamacento.

Não, esse não era um caminho seguro para deixar meus pensamentos navegarem. Assim como eu sabia que um copo de bebida também não seria.

Abri meu armário de tintas para cabelo e vi quais cores ainda tinha. O corte não estava tão feio, só era curto e rebelde e decididamente aprovei a sua falta de padrão. Alguns fios tinham dois ou três centímetros, outros nem isso. Porém, a forma desordenada com que os cortei acabou gerando um visual bacana, espetado, despojado. Sem contar o quanto aquilo seria saudável, já que os fios estavam exaustivamente desgastados pelo excesso de tintura. Era como um recomeço para eles também.

O novo visual desordenado era como meus sentimentos. Era como eu, em minha mais profunda essência. Estava perfeito!

Escolhi a cor verde. Era um tom claro, vivo, vibrante. O tom da esperança.

Eu ainda não a possuía por completo, essa tal *esperança em dias melhores* – como dizem –, mas, após sentir que meus pés haviam tocado mais uma vez o fundo do poço, decidi que não me permitiria passar por tudo aquilo novamente.

Essa decisão poderia durar apenas alguns dias ou algumas horas, contudo, saber que em momentos de sobriedade eu queria acreditar que ainda podia me reerguer era suficiente por ora.

É. O verde combinava bem.

40
Matthew

A verdade pode ser cruel e destruidora. Eu me perguntava constantemente se estaríamos todos prontos para conviver com ela.

Em tempos mais simples, eu abominava as mentiras, mas agora, no ponto a que nossas vidas haviam chegado, a verdade já não parecia uma virtude. Eu tinha vontade de dizer tudo isso a eles, a Laura, Patrícia e Diego. Vontade de contar que fora por ter ido atrás da verdade que descobri a traição, mas depois a dor foi tão grande que preferi que tudo tivesse continuado a ser como antes.

O resultado de minha busca pela verdade trouxera uma nova realidade para minha vida. Agora eu estava preso para sempre, sem mexer boa parte de meu corpo, sem falar. Será que um dia eu recuperaria os movimentos?

Às vezes a vontade de falar e de gritar tudo o que eu estava sentindo era tão grande que a voz parecia quase sair. Eu sentia como se ela chegasse à minha garganta, mas no momento em que tinha que ganhar o ar e soltar-se para o mundo, ela recuava covarde e com medo. Muito medo de ser ouvida.

Nada disso fazia sentido, assim como minha nova realidade insistia em parecer uma mentira. Não parecia verdade que eu estava paraplégico. Eu não me reconhecia, aquele simplesmente não era eu. Essa disputa, aparentemente eterna, entre o que é *verdade* e o que é *mentira* me atormentou por muito tempo.

Como eu não podia falar com ninguém, falava comigo mesmo, brigava com minha consciência querendo que ela me dissesse quem venceria a disputa.

No fundo, eu sabia que a verdade – ter visto o beijo que Diego dera em minha namorada – me levara ao hospital, do qual eu sairia completamente mudado.

Mas eu também sabia que a eterna dúvida e que as mentiras confortáveis poderiam ser capazes de me matar de tormento.

Sempre que esse diálogo interior me cansava, eu pegava no sono e, quando acordava, voltava a pensar.

41
Diego

Eu não sabia o que fazer com a nova informação que tinha sobre o crime. Seria burrice contar para alguém naquele momento. Mais um segredo que eu guardava comigo.

Claro, isso não se comparava ao segredo da minha vida, mas, mesmo assim, ainda era uma informação que, por enquanto, apenas eu tinha.

Após muito chorar em meu colo e acusar Laura, Patrícia saíra do meu apartamento sem muita cerimônia, dizendo sentir-se melhor, e desde então não havia me procurado, além de me evitar todas as vezes em que a procurei.

Dias se passaram sem notícias e comecei a pirar com aquela situação.

Como seria possível viver longe dela? Definitivamente, essa era uma resposta que eu não tinha – e nunca teria.

Resolvi, naquele dia, após muito dançar e muito pensar em Patrícia e deixar mensagens consecutivas em seu celular – às quais ela nunca respondeu –, tomar coragem e visitar Matt.

Desde o dia em que Laura contara a ele sobre mim e Patrícia, eu ainda não fora capaz de voltar ao hospital, tampouco tivera notícias de suas condições. Falar com Laura para obter informações não era uma opção e os funcionários do hospital não davam notícias por telefone.

Eu queria saber como ele estava e desejava de todo o meu coração que as notícias fossem boas, só me faltava a coragem de olhá-lo nos olhos de novo. Após uma caminhada não muito amena, devido ao clima frio, cheguei ao hospital. Não posso dizer que me surpreendi ao entrar no quarto e encontrar Laura sentada ao lado da cama de Matt.

Um livro estava aberto sobre seu colo. Aparentemente ela andara lendo para ele e, no momento em que cheguei, ela dava uma gostosa gargalhada.

– Livro engraçado? – perguntei, entrando no quarto e andando na direção deles.

– O que faz aqui? – Seu tom mudou ao me ver, tornando-se sério.

Pensei em um milhão de respostas cínicas e engraçadas para aquela pergunta, cuja verdadeira resposta qualquer um saberia, entretanto, o olhar desafiador de Laura desencorajou-me, então apenas perguntei:

– Como ele está?

– Está melhor. Irá para casa nos próximos dias. – Ela parecia nitidamente contrariada ao me responder.

– Fico feliz em saber. Gostaria de estar presente quando ele voltasse para casa, sabe, para ajudá-lo de alguma forma.

– Você já pensou que ele sobreviveu todo esse tempo no hospital sem a sua ajuda? Pois é, você não é tão indispensável quanto pensa. Talvez ajude mais se mantiver distância.

A essência de suas palavras por trás de toda grosseria era verdadeira. Era difícil lidar com aquilo, mas era verdade. Eu estava feliz pelo fato de Matt ter Laura ao seu lado, uma vez que ela estava se mostrando uma excelente amiga e, se não fosse ela, não sei como ele teria aguentado as últimas semanas.

Sorri para Matt, quando finalmente olhou em minha direção, mas o discreto sorriso pareceu espantá-lo de vez e ele voltou a mirar o vazio, provando que eu era a última pessoa que ele gostaria de ver, então decidi que não havia nada para fazer ali. Eu realmente ajudaria se me afastasse.

Antes de ir, fiz mais uma pergunta a Laura:

— Como será quando ele for para casa? Digo, será difícil ficar sozinho nessas condições...

Matthew permaneceu imóvel. Laura se ajeitou na cadeira, ainda segurando o livro, e afirmou:

— Ele não estará sozinho. Irei morar com ele.

Tentando não demonstrar qualquer reação, acenei com a cabeça e saí do quarto.

Eu não sabia muito bem o que pensar quanto àquilo tudo, mas decidi forçar-me a achar a situação natural e, acima de tudo, necessária. Contudo, devo confessar que, se não foi estranho encontrar Laura no quarto de Matt, lendo para ele, nem tão estranho assim saber que eles morariam juntos, as feições de Laura foram o que realmente me surpreendeu.

Seu rosto estava significativamente mudado: mais magro, abatido, com olheiras profundas, sem mencionar seu cabelo. Eu estava acostumado com as mudanças, mas o verde-limão, com corte curto, arrepiado e indefinido, realmente foi exagero. Não que ela estivesse feia, longe disso, mas parecia mais rebelde que nunca. E mais sofrida também. Eu fizera bem em não mencionar nada disso a ela, nem comentar o novo visual. Certamente, qualquer comentário desnecessário seria rebatido.

Mal sabia ela da nova informação que eu tinha.

O celular.

Eu estivera em seu apartamento dois dias atrás e, no meio de muita bagunça, após mais de meia hora de busca, encontrei o aparelho do qual ela enviou a mensagem para Patrícia me acusando.

Eu ainda não descobrira suas razões, nem o quanto ela sabia daquela noite do acidente, portanto, decidira que seria melhor não dizer nada a ninguém antes de obter mais respostas.

Enquanto saía do hospital, trombei com a última pessoa que eu gostaria de encontrar: Henry Morris. Sempre com um comentário desagradável.

— Aborrecido porque a namorada o deixou? — Limitei-me a encará-lo, sem dizer nada. — Fique tranquilo, todos nós nos surpreendemos dessa vez.

— Do que você está falando? — indaguei, sem compreender.

— Você não soube? — Ele forjou uma cara de espanto. — Sua namorada desapareceu assim que ficou livre das acusações, já que os históricos do seu computador foram desconsiderados do caso devido à facilidade de se forjar uma prova dessas. Ela fugiu do país.

— A Patel? Quero dizer, Patrícia?

— Claro que é ela, ou você tem outra namorada?

— Na verdade, não somos namorados.

Eu ia acrescentar "infelizmente" à minha última frase, quando o advogado canalha gargalhou:

— Bom para você! É uma questão de tempo até que eu consiga incriminá-la. Essa fuga apenas prova o quanto ela é culpada.

Sem dizer mais uma palavra, ele afastou-se e entrou no prédio, deixando-me sozinho, incapaz de me mover, tomado pelo nervosismo.

Eu não via Patrícia havia alguns dias, mas jamais imaginei que não estivesse no país. Por que ela fugira? Por que não me dissera nada?

Como ela podia ter me deixado? Como esperava que eu fosse viver sem notícias suas? Sem vê-la... Tocá-la...?

E o celular enigmático que eu encontrara no apartamento de Laura, graças ao conhecimento que tinha do local onde ela guardava a chave de emergência? O que aquilo significava? Não era o celular real dela, era um pré-pago que ela usou apenas para enviar a tal mensagem a Patrícia.

Eu não tinha respostas, mas estava chegando a um ponto em que precisava delas tanto quanto precisava respirar.

Confuso e cabisbaixo, caminhei para casa, sob uma fina garoa, que fez companhia aos meus pensamentos infindáveis.

Tudo o que eu peço a você é que, assim como eu, não acredite em ninguém. Eu nunca quis desconfiar de Patrícia, mas até ela estava agindo de forma estranha. Também não pensei que Laura fosse capaz de tentar matar alguém, porém, estava começando a perceber que tudo era possível.

Claramente, há algo errado nesta história. Algo que foi escrito não é real.

Diga-me, aliás, pergunte a você mesmo, *quem está mentindo?*

42
Laura

Não era a primeira vez que eu estava ali, mas naquelas condições era como se fosse. Nunca me senti tão nervosa em um local que sempre me trouxera bons momentos.

Eu estava na companhia de dança. Sabia que aquele era dia de ensaio e que Diego estaria lá com toda a sua ginga, que me envolvera e hipnotizara diversas vezes.

Assim que entrei na imensa sala onde eles ensaiavam, tive a sorte – ou o imenso azar – de estarem em um intervalo do ensaio, o que significava que não havia música alta ou qualquer outra distração que camuflasse minha chegada.

Apenas alguns dançarinos estavam no local, outros deviam ter aproveitado o intervalo para relaxar ou tomar um café. Diego, porém, era um dos que tinha permanecido na sala e conversava um colega.

Assim que entrei, todos se viraram para me observar.

Não abaixei a cabeça, embora essa fosse minha vontade. Sustentei o olhar interrogativo de Diego, que fez com que ele caminhasse até mim:

– Laura? O que faz aqui?

– Tenho pensado em muitas coisas, gostaria de conversar com você, se tiver alguns minutos...

Por um instante, ele apenas me encarou. Pensei que fosse gritar comigo, me insultar, como tantas vezes eu fizera com ele, mas, não. Sua resposta veio calma e serena, embora ele não estivesse sorrindo como sempre costumava estar.

– Claro.

Conduziu-me para uma sala ao lado, que estava completamente desocupada, para que pudéssemos conversar sossegadamente.

Por alguns instantes, que, de tão breves, pareceram durar uma eternidade, ficamos em silêncio sem coragem de olhar dentro dos olhos um do outro.

Fora preciso muita coragem para que eu tomasse a decisão de ir até ali. Não poderia fraquejar e eu já estava lá, tinha de falar.

– Tenho pensado muito – exprimi, com a cabeça baixa e sentindo as pontas dos dedos tremendo; disfarcei escondendo as mãos – em tudo o que aconteceu a *nós quatro* desde que nos conhecemos. Tenho tentado entender tudo o que aconteceu entre você e Patrícia e, acima de tudo, tenho procurado estar ao lado de Matt em todos os momentos, sendo a família que ele já não tem mais. – Respirei fundo e continuei: – Eu passei por maus bocados nas últimas semanas. Senti que meus pés tocaram o fundo do poço novamente. Eu já havia sentido essa mesma sensação alguns anos atrás, você sabe. E isso me assustou. Ser aquela pessoa novamente é tudo o que eu temo.

– Laura... – ele ia dizendo, mas fiz sinal para que apenas me deixasse terminar.

– Matthew tem melhorado um pouquinho a cada dia. Ontem mesmo ele começou a emitir alguns sons parecidos com palavras. Ele está mais animado e otimista e isso tem me motivado. No fim das contas, ajudá-lo foi o que me manteve viva nas últimas semanas. Eu não me entreguei à desgraça para não o deixar sozinho. Eu vi a garra que ele tem, em meio a tantas dificuldades, e busquei essa mesma garra em mim. Ele me deu propósito, razão, vontade. Ou seja, tudo o que eu havia perdido, entregado à tristeza, ele me mostrou como recuperar.

— Você deveria falar tudo isso a ele — Diego sugeriu docemente, voltando a sorrir.

— Ele sabe. — Também dei um pequeno sorriso, e continuei: — Não quero me prolongar muito. Só quero que você compreenda o processo penoso pelo qual tenho passado, com muita, muita, muita dor. Uma dor em um nível que eu pensei que nem existia, mas, por outro lado, com tanto aprendizado. Sinto que estou crescendo, que estou mais forte, que estou começando a entender certas coisas... De uma forma que nem eu compreendo ainda, estou começando a aceitar que você não me ame como ama Patrícia, e isso já não tem doído como antes.

Quando percebi, já estava chorando. De forma contida. Calma. Reconfortante. Era bom poder falar tudo aquilo.

— Laura, eu sei que lhe devo tantas desculpas.

— Você não deve.

— Devo, sim. Eu não podia ter agido da forma que agi, tinha que ter sido sincero com você e, acredite, não há um dia em que eu não me odeie pelo mal que causei a você e ao Matt.

— Mas é disso que estou falando. No meio da minha dor e rebeldia, como você diria, acabei lembrando que você me fez mais bem do que mal desde que entrou em minha vida.

— Nenhum pedido de desculpas jamais será suficiente — ele sussurrou.

— Será, sim. Se você e a Patrícia prometerem que não vão sair da minha vida. Eu amo vocês dois. Queria que ela estivesse aqui.

— Eu também. Queria que estivéssemos os quatro, juntos, como nunca deveria ter deixado de ser.

Ele tinha razão. No pior momento de nossas vidas, nós nos separamos e permitimos que as dificuldades nos vencessem, por isso estava sendo tão difícil. Esse havia sido nosso maior erro.

— Ela vai voltar — afirmei.

— Como você sabe?

— Porque eu a conheço. Sei que ela precisa de um tempo, sei que não fugiu.

— Você, então, não acha que ela está envolvida com a sabotagem?

— Não, não acho. Não creio que tenha sido um de nós. A menos que eu estivesse tão chapada a ponto de não me lembrar do que fiz. — Meu comentário gerou um silêncio constrangedor, que me amedrontou. — Ei, foi uma piada — confirmei, fazendo com ele risse sem vontade alguma, apenas disfarçando.

— Espero que você esteja certa. Eu andei descobrindo algumas coisas, mas também não quero pensar que tenha sido algum de nós.

Como eu já havia dito tudo o que desejava, falei para ele voltar para o ensaio, não queria atrapalhá-lo. Ele me convidou para ficar, mas isso seria um pouco demais para mim.

Ir até ali não fora tarefa fácil, tampouco expor meus sentimentos. Eu sempre me expressara bem pela arte, fosse nas telas, nos vasos, nas minhas peças, fosse nos cortes e nas cores de meu cabelo, mas nunca com as palavras. Aquele era um desafio pelo qual eu sabia que devia passar. E havia passado. Contudo, ficar para assistir ao ensaio poderia me desestabilizar, uma vez que me traria boas recordações da época em que namorávamos.

Antes de nos separarmos, porém, ele me encarou entre um belo sorriso e disse:

— Ficou legal... o cabelo.

Naquele dia, quando cheguei em casa, senti que me abrir fora apenas o começo e que era hora de consertar muita coisa.

Arrumei meu material de trabalho, pois estava cheia de ideias, além de estar cheia de vontade de passar a noite toda em claro trabalhando, até que o sol me lembrasse de que era hora de parar.

Antes de começar a trabalhar, sentei-me no sofá e fiz uma ligação.

Essa, sim, eu já devia ter feito há muito tempo.

Após chamar apenas duas vezes, ouvi a voz feminina do outro lado da linha:

— Beatriz falando.

Sem jeito, hesitei por um pequeno instante, e respondi:

— Oi, mãe. Sou eu... Eu queria, sei lá, conversar um pouco.

43
Matthew

Acordei com o som da televisão no quarto do hospital.

Abri os olhos lentamente e vi que Laura estava lá, em uma poltrona ao meu lado, olhando para a tela.

– O que está passando? – perguntei.

– Não sei – ela respondeu.

– Mas você está olhando para a tela.

– Sim, mas não estou prestando atenção. Apenas... Espere aí! – Ela levantou-se da poltrona e girou o corpo, me encarando. – Matt, você está falando!

Senti-me um completo idiota naquele instante. Eu não percebera. Estava acostumado a falar em pensamento, mesmo que ninguém pudesse ouvir, não pensei que dessa vez as palavras estivessem saindo em voz alta. Bom, pelo menos, eu era um completo idiota mais feliz agora.

– É verdade! – exclamei, rindo – Meu Deus, como é bom ouvir minha própria voz!

Ela me abraçou com tanta força que pensei que fosse quebrar alguns ossos do meu corpo.

Respirei aliviado, sentindo o cheiro bom de seus cabelos tão próximos à minha face, sentindo a pressão de seu corpo contra o meu.

Fazia algumas semanas que a Laura já não era apenas a Laura para mim. Ela estava se tornando cada vez mais e eu soube naquele abraço que era por ela que voltara a falar. Por sua presença, por sua fé em mim, por estar lá em todos os momentos, acreditando que eu conseguiria.

Falei tudo isso para ela, aproveitando que podia falar novamente, e usei essas exatas palavras.

Parecendo confusa, Laura desvencilhou-se dos meus braços.

– Matt, entendo que você passou por muita coisa e quero que saiba que vou continuar do seu lado, sempre.

– Isso é reconfortante. Eu não sei viver sem você.

– Eu também não vivo sem você. Mas não quero que confunda as coisas.

– Não estou confundindo, estou sendo sincero. Eu não quero ser apenas seu ami…

Ela interrompeu minha última palavra, agitando as mãos no ar.

– Não, Matt, não diga isso. Por favor, não cause mais estragos. Justo agora que as coisas estavam melhorando.

Aquelas palavras me atingiram feito flecha e dilaceraram-me a carne.

– Você não me quer porque sou deficiente agora?

Arrependi-me imediatamente por ter dito aquelas palavras. Perder a fala podia ser uma virtude quando se tem a capacidade de dizer as coisas erradas nos momentos mais inoportunos.

Vi quando sua pele branca se enrubesceu, evidenciando seu nervosismo com tamanha acusação que fiz.

– Nunca mais diga isso – ela pediu, claramente tentando se controlar.

– Então você ainda ama o Diego?

Laura não respondeu.

Quando me dei conta, ela já havia saído do quarto.

44
Laura

Fiquei rodando pela cidade com meu fusca azul que, finalmente, eu decidira lavar uns dias atrás.

Estava sem rumo, perdida mesmo. Tive que tomar cuidado para não bater o carro umas duas vezes. Os pensamentos iam e vinham.

Em poucos dias, Matt sairia do hospital e eu combinara de morar com ele, até que pudesse fazer as reformas e adaptações necessárias em sua casa e se sentisse confiante para viver sozinho. Já tinha até pensado em como adaptaria o ateliê. Bem, espaço não faltava naquela casa maravilhosa.

Mas como eu poderia viver com Matt se ele realmente se sentisse daquela forma em relação a mim?

Eu não sabia explicar meus sentimentos por Diego. Sem dúvidas eles eram intensos, mas desde que decidira seguir com minha vida e reerguer-me, evitara pensar no amor. Esse, porém, não era o problema. Independentemente de qualquer coisa que eu sentisse por Diego, Matt era apenas meu amigo; um grande amigo, alguém que eu amava muito, mas não de forma romântica. Jamais.

E, se é que pode existir um momento na vida em que você não quer dar um fora em alguém, o momento era aquele. Eu jamais poderia magoar Matt enquanto ele lutava para viver bem após o acidente e a paraplegia.

Tudo o que me restava era rezar para que ele parasse com aquele papo, para que percebesse que apenas confundira as coisas e que éramos apenas bons amigos, que precisávamos da companhia um do outro, mas que nunca passaria disso.

Estava cansada do fato de que, quando as dores dentro de mim pareciam se abrandar, um novo vendaval chegava para anunciar a tempestade.

Era muito para eu lidar.

Encostei o carro, peguei meu celular e fiz a chamada.

– Henry Morris? Gostaria de saber como anda a investigação. É a Laura que está falando.

As dores vão e voltam, mas nunca parecem passar de fato.

Será que eu estava sendo ingênua e alguém realmente estava mentindo?

Todos nós parecíamos sofrer. E, se fosse assim, qual dor seria falsa?

Ou então, seriam todas reais e por isso mesmo uma delas se descontrolara e fora capaz de levar um de nós a planejar um assassinato?

45
Diego

Não poderia expressar com palavras o quanto a visita de Laura à companhia de dança e cada uma de suas palavras significaram para mim.

Eu precisara de uma oportunidade para me desculpar, porém, com medo de gerar uma situação ainda pior, não havia tentando criar a oportunidade. Saber que, em algum nível, ela me perdoava e que talvez houvesse esperança para *nós quatro*, era tudo o que eu podia querer naquele momento.

Bem, tudo isso somado a alguma notícia de Patrícia, que não vinha.

A cada dia eu me preocupava mais e, como se não fosse o bastante ter de lutar contra a saudade, havia também as dúvidas sobre as razões que a levaram a desaparecer. E isso era cruel para meu pobre e ferido coração, que tanto a amava, que tanto a queria por perto, que pulsava dizendo seu nome a cada nova batida.

Antes de sair de casa naquele dia para visitar Matt, olhei para as marcas na parede. Sim, todos nós havíamos mudado desde o dia em que as deixamos. A vida mudara, assim como o nosso mundo. Por várias das últimas semanas eu pensara que nossas mãos gravadas à tinta em minha parede seriam apenas a lembrança de dias felizes. Agora, não sei bem por quê, elas mais pareciam as marcas de um futuro imprevisível, mas em que estaríamos juntos, e isso significava que a felicidade deixaria de ser apenas uma lembrança.

Caminhando, fui até a casa de Matthew.

Ele estava, em muitos sentidos, *voltando para casa*.

Foi estranho ver Matthew cruzando o próprio jardim empurrado por Laura em uma cadeira de rodas.

Por mais que estar de volta fosse uma vitória, ele não estava sorrindo. Mantinha o olhar fixo à frente, não oscilava, não demonstrava qualquer expressão ou qualquer reação à minha presença.

Após a conversa na companhia de dança, Laura voltou atrás no que havia dito, e disse que eu deveria estar na casa de Matthew no dia em que ele saísse do hospital.

Por mais dúvidas que isso me trouxesse quanto às intenções e os sentimentos dela, de uma coisa eu estava certo: ela também estava lutando por *nós quatro*; ela também desejava que a felicidade não fosse apenas uma lembrança.

As marcas na parede do meu apartamento me voltaram à mente. Não havíamos marcado apenas o local naquele dia, mas a nós mesmos, e isso significava muito.

A fisioterapeuta de Matthew e um enfermeiro estavam presentes, ajudando e dando dicas de locomoção e adaptação, conforme observavam o local. Havia degraus, grama, muitos móveis próximos e nenhuma facilidade para ele. Tudo teria de ser revisto e adaptado, mas Matt não parecia querer ouvir as dicas naquele momento.

Percebendo a situação, a fisioterapeuta e o enfermeiro foram embora, tendo deixado programada uma nova visita para maiores esclarecimentos de como a reabilitação funcionaria dali para a frente.

Já acomodado na sala, Matt mantinha-se mais introspectivo que o usual.

Eu soubera que ele voltara a falar, entretanto, ainda não ouvira uma palavra sequer.

Laura abriu as cortinas, colocou uma música alegre para tocar e foi para a cozinha preparar um lanche para nós. Ela já estava oficialmente morando naquela casa. Segundo ela mesma dissera, algumas horas mais cedo levara suas coisas para lá e se instalara no quarto de visitas. Também havia arrumado o quarto de Matthew, abastecido a despensa e deixado tudo pronto para seu retorno. Era bom vê-la animada, otimista e com tanta certeza de que as coisas iriam funcionar dali para frente. A vida daria certo de algum jeito.

Quando eu e Matt ficamos sozinhos na sala pensei que a situação seria incômoda e constrangedora. Mas não foi bem assim. Apesar de quieto e com expressões sérias a princípio, após um tempo no ambiente familiar, Matthew pareceu relaxar.

Eu não conseguia imaginar o que ele estava passando e qual seria a sensação de voltar para casa, tantas semanas após sofrer um acidente terrível, sem poder realizar qualquer movimento abaixo da cintura. E isso não era tudo, ele perdera a namorada, nosso grupo se desestabilizara completamente no tempo que se passou, e ele também enfrentava a terrível realidade de ter sido vítima de uma tentativa de homicídio.

Pensando bem, ele estava sendo mais forte do que eu jamais seria e eu me orgulhava de poder estar naquela sala, junto a ele, no momento em que ele voltou e selando uma grande vitória na batalha que apenas estava se iniciando.

Vários minutos se passaram até que um de nós tivesse coragem de dizer algo. Os sentimentos que eu experimentava eram, em parte, velhos conhecidos: estava com meu querido amigo novamente e aquilo era maravilhoso. Contudo, os sentimentos eram novos também. Nós dois estávamos mudados, machucados, com medo. Eu o havia ferido devido à forma errada como administrara meu amor por Patrícia, e tudo isso fazia com que parecesse a primeira vez que iríamos conversar na vida.

Nossa relação precisava de um recomeço, precisava partir do zero mais uma vez, uma nova chance, sem tantos erros agora.

– É bom ver você de volta em casa. – Foi minha primeira frase.

Levou alguns minutos para que ele dissesse algo, o que era natural, porém fiquei satisfeito de ouvir palavras gentis, sem tanto rancor ou acusação, como ele não estaria errado se fizesse:

– É bom estar de volta.

– Eu sei que Laura estará aqui o tempo todo com você, e fico feliz com isso. Mas quero que saiba que também estou com você e, se permitir, gostaria de visitá-lo todos os dias.

Dessa vez, ele não respondeu. Não sei se pretendia responder, mas Laura interrompeu nossa primeira tentativa de conversa chegando à sala com uma enorme bandeja com frutas, sanduíches e sucos.

Acomodando-se junto a nós, ela serviu-nos o suco e ergueu o próprio copo em um brinde, dizendo:

– A Matt.

Imitei seu gesto, seguido por Matt, que apenas esboçou um discreto sorriso parecendo um pouco constrangido com toda aquela situação.

Comecei a falar sobre assuntos aleatórios. Laura me apoiou, mantendo a conversa animada, de uma forma um pouco forçada, mas eficaz para que Matt falasse um pouco mais.

Tudo aquilo demonstrava que, se realmente desejávamos retomar nossa amizade, teríamos um longo trabalho pela frente.

Quando o papo enfim estava se tornando interessante, fomos interrompidos por sons assustadores de passos que pareciam vir do jardim, que, em segundos se tornaram mais audíveis, e então a maçaneta girou.

Naquele instante, um pensamento horrível atravessou minha mente. Um crime havia sido cometido. Talvez, trazer Matt para casa não houvesse sido uma boa ideia. Poderíamos estar em perigo, qualquer um de nós.

A porta se abriu. Senti a apreensão no ar e podia apostar que Laura e Matt estavam tendo pensamentos semelhantes aos meus. Contudo, as trevas se dissiparam quando Patrícia entrou na sala, sorrindo, usando um lindo chapéu, que eu não conhecia, bem como os tradicionais pingentes em um cordão no pescoço. Ela estava linda, parecia alegre e, acima de tudo, juntou-se a nós.

Esse momento poderia simbolizar a reconstrução de *nós quatro*.

46
Patrícia

ALGUMAS HORAS MAIS CEDO

O prédio em que eu estava era imenso: com uma ampla escadaria de mármore ao meu redor e pilares que se fundiam à cúpula abaulada do imenso salão de pedra branca.

Caminhei.

Podia ouvir o eco dos meus sapatos de salto ricocheteando ao redor. Tudo parecia morto, apesar da imensidão que lembrava uma vida longa e vazia.

Passei por vitrais translúcidos e delicados que refletiram minha imagem. Eu estava elegante, como sempre. Para a ocasião, vestia um conjunto de terno e saia de cor nude, além de um discreto chapéu caramelo, com listras marrons, de formato oval.

Passei os vitrais e cheguei a um portal, que se localizava abaixo da escadaria suntuosa de mármore. Abri a pesada porta de ferro branco e entrei.

Eu não sabia para onde ela me levaria e nem em mil tentativas poderia imaginar que fosse a uma biblioteca.

E lá estava eu.

Por alguns instantes, fiquei paralisada, apenas analisando o lugar e tentando imaginar o que estaria acontecendo.

Como o salão que eu acabara de cruzar, a biblioteca era imensa. Prateleiras incontáveis estendiam-se por todo o local, indo do chão ao teto, a perder de vista, e guardando livros que deveriam ser de todos os tamanhos, de todos os gêneros, de todos os séculos que haviam ficado no passado. Estava tudo ali. Todos os segredos.

Senti minha respiração acelerar-se quando um barulho denunciou que eu não estava sozinha.

A atmosfera se condensou e a temperatura baixou, fazendo com que os pelos do meu corpo se eriçassem e trazendo-me ainda mais tensão.

– Tem alguém aí? – perguntei para o ar, que não enviou resposta alguma de volta.

Comecei a andar lentamente ainda ouvindo o ecoar de meus sapatos, quando percebi que o ar frio estava entrando por uma imensa janela de vidro, num canto da biblioteca. Caminhei até ela e a fechei.

Respirei aliviada, tendo certeza de que o som que eu acabara de ouvir era apenas o barulho da janela batendo contra a parede com o ritmo do vento.

Observando minha imagem refletida no vidro da janela que eu acabara de fechar, aproveitei para ajeitar o chapéu.

Foi aí que meus pelos voltaram a se eriçar e o medo me invadiu, e percebi que aquilo nada tinha a ver com o vento ou com a janela.

Havia outra silhueta refletida no vidro da janela.

Eu realmente não estava sozinha. Girei o corpo no mesmo instante, pensando que quem quer que estivesse ali iria sair correndo em vez de encarar-me.

Mais um engano.

A pessoa sustentou meu olhar, interrogativo, pensativo, apreensivo.

Era eu mesma que estava ali, olhando de volta para mim.

Eu usava as mesmas vestes, o mesmo chapéu, e exatamente o mesmo sapato de salto.

Olhei ao redor, para ter certeza de que não estava olhando novamente para algum vitral, mas não parecia ser o caso. A "outra eu" estava parada bem no meio de um corredor ladeado por duas estantes altíssimas e revestidas por livros incontáveis.

Tive mais certeza ainda de que não se tratava apenas de um reflexo quando uma terceira imagem de mim saiu de outro corredor, caminhando lentamente, lendo um livro, que segurava aberto à sua frente. Ela – aliás, eu – parecia concentrada na leitura.

Tendo certeza do que encontraria se continuasse percorrendo aqueles corredores sem fim, deparei comigo mesma várias vezes.

Uma ou outra estava rindo, até mesmo gargalhando. Havia também as cabisbaixas, as depressivas, as descontroladas, que gritaram ou me xingaram quando nos esbarramos, além das saltitantes e felizes e da que estava a um canto dormindo, ou até mesmo morta – não tive coragem de cutucá-la para saber o que acontecera.

Eu já sabia.

Sabia o que tudo aquilo significava.

Abri os olhos, assustada. Um filete de suor havia escorrido por minha face.

– Está tudo bem, senhorita?

Era a voz da comissária de voo. Assenti com a cabeça.

– O que deseja para o almoço? Nossas opções são risoto de frango ou de frutos do mar.

Escolhi o risoto de frutos do mar e um copo de suco e ajeitei-me na cadeira para almoçar.

Eu fora tragada tão rapidamente dos sonhos para a realidade que um peso ainda recaía sobre meus ombros de forma assustadora.

Nos últimos dias, quando resolvi me distanciar temporariamente dos problemas, para colocar os pensamentos em ordem e tentar encontrar a melhor solução, milhares de dúvidas pairavam em minha mente, serpenteando famintas em busca da verdade, do alento, do recomeço.

Eu havia ido para o Brasil, para ficar na casa de alguns colegas da época do mestrado. Estar lá, no local onde eu vivera dois anos da minha vida, havia sido reconfortante. Percorrer as mesmas ruas, visitar os mesmos shoppings, teatros e casas noturnas, na presença de pessoas das quais eu sentia falta. Tudo isso parecia um bom remédio aos males que estava vivendo. Mas não podia negar que a curta viagem também trouxera novos pensamentos desagradáveis à minha cabeça.

O que me levara a me inscrever para o mestrado no Brasil havia sido a única pista que eu tinha de Cassie e, apesar de ter passado dois anos maravilhosos no país, a busca por minha filha não havia trazido resultados. Era por isso que o sonho que eu acabara de ter, durante o voo de volta para casa, fazia tanto sentido.

Eu andava tendo sonhos estranhos e agitados desde que viajara para o Brasil nos últimos dias, estava claro que eles eram o reflexo dos meus problemas, dos quais eu jamais poderia fugir.

Entretanto, desta vez, eu nem precisava ser uma especialista em sonhos para entender a mensagem por trás daquele. Eu me via, me enxergava por completo e aquilo era apenas a representação de mim.

Eu era várias. Em cada situação, reagia de uma forma; a cada dia, descobria uma nova faceta de mim; a cada tristeza, eu me revelava mais e mais. Assim como a cada alegria, a cada novo desejo, a cada nova decepção – comigo mesma ou com os outros.

Não era apenas a Patrícia, dentista, mãe de uma filha perdida no mundo, apaixonada pelo ex-namorado da melhor amiga, suspeita de tentar matar o ex-namorado traído, que sempre usava dois pingentes no pescoço e um chapéu na cabeça. Não. Eu era tão mais que isso tudo! Estava descobrindo, por meio de dores e tristezas que eu era *muito*, que havia *muito* dentro de mim e o processo de autoconhecimento estava apenas começando.

Eu estava ciente de tudo isso, me entendia, me lia. Assim como minhas imagens no sonho liam cada linha daqueles livros. Eu sabia as histórias que eles continham e, mais que tudo, sabia que não havia fim. Cada livro daquela biblioteca ainda estava sendo escrito por todas as versões de mim mesma.

Quando o avião pousou na América do Norte, eu não estava em casa apenas no sentido literal, mas também porque estava começando a me reencontrar e porque algumas descobertas que eu fizera nos últimos dias sobre a sabotagem do carro de Matt mudariam tudo, simplesmente *tudo* – e, ainda assim, não tanto quanto eu mesma estava mudando.

Após deixar minhas malas em casa, fui ao hospital e soube que Matt tivera alta naquele mesmo dia. Fiquei feliz por sua melhora e ainda com mais saudades de todos os meus amigos. Sem pensar, rumei direto à sua casa.

Eu ainda tinha a cópia da chave da casa dele e talvez aquele fosse o momento de devolvê-la, de forma discreta e o mais indolor possível, por respeito.

Quando me aproximei, ouvi as vozes de Laura e Diego, vindas da sala, onde provavelmente os três estavam. Hesitei por um breve momento, pensando se eu estava pronta mesmo para encará-los.

Assim que abri a porta, os três me lançaram olhares surpresos e curiosos.

Laura sorriu discretamente e falou:

– Cabelo legal.

Naqueles dias no Brasil, eu aproveitara para mudar o visual. A tintura azul me fazia lembrar constantemente de Laura e do quanto sua amizade me fazia falta. Tingi tudo de loiro, o que foi uma mudança radical – visto que sempre preferi os tons escuros e que a cor natural dos meus fios era o castanho –, mas vinda em boa hora.

– Obrigada, o seu também – elogiei.

A princípio, percebi que minha chegada trouxe, além de surpresa, uma certa apreensão.

Matt me olhava sem, contudo, me ver de fato. Laura parecia incomodada e contida – o que não era natural de modo algum –, e Diego teve um impulso de levantar-se e me abraçar, mas devido à presença de Laura e Matt, ele se conteve e mudou de ideia, voltando a se sentar calado, o que era ainda menos natural.

Caminhei até Matt, que estava em uma cadeira de rodas ao lado dos dois amigos. Dei um abraço desconsertado nele, sem saber se deveria, mas um abraço que eu quisera dar pelos últimos dias mais que tudo.

— Senti sua falta. Como você está?

— Indo — ele respondeu.

— Você voltou a falar! Quantas ótimas notícias! — exclamei, genuinamente animada.

— Por que você partiu e não disse nada?

Contei a eles sobre minha viagem, razões e sobre tudo o que acontecera nos últimos dias.

Até mencionei Cassie e o quanto estar no Brasil me trouxera lembranças vivas de como eu falhara duas vezes com ela — entregando-a à adoção e, então, não sendo capaz de saber qualquer coisa sobre seu paradeiro.

Contei tudo que se passara nos dias em que estive ausente. Tudo, exceto minhas novas descobertas sobre o crime, que ainda precisariam de mais algumas apurações antes que tivéssemos que enfrentar a terrível verdade sobre a noite em que Diego me beijou e em que Matt sofreu um acidente desejado e planejado por alguém, com intuito de matá-lo.

Durante os momentos que passamos juntos naquele dia, em que compartilhamos as notícias dos nossos últimos dias e, principalmente, sobre as novas fases do tratamento de Matthew, senti que éramos nós novamente, embora muito tivesse mudado.

Os sorrisos não estavam muito espontâneos, os olhares se cruzavam receosos, qualquer aproximação física para o lado de qualquer um deles parecia fazer soar um alarme de segurança, que todos havíamos instalado nos muros ao nosso redor.

Entretanto, pude sentir que ainda teríamos salvação.

Algum dia, estaríamos de volta, seríamos os mesmos que tínhamos sido antes que a tempestade se instalasse e desabasse sobre nossas vidas e ainda traríamos a bagagem de tudo aquilo. Como eu bem sabia, os tomentos nos fizeram crescer.

Tenho certeza de que qualquer um deles concordaria comigo se eu tivesse expressado aqueles pensamentos em voz alta. Por ora, foi melhor que ficassem daquela forma, dentro de mim, em silêncio. Existia uma conexão forte entre nós, e às vezes nem era preciso falar para que nos fizéssemos ouvir.

Espiei Matthew várias vezes. Ele pouco sorria, pouco falava, pouco me olhava, porém, parecia esperançoso, de um jeito que nem ele conhecia. Era difícil vê-lo em uma cadeira de rodas, me doía muito, ainda mais agora que eu sabia as razões que o tinham levado até ali.

Em certo ponto, quando já escurecera, resolvi ir embora, estava cansada da viagem e, para falar a verdade, percebi que prolongar minha permanência talvez pudesse ser abusivo naquele momento tão frágil.

Despedi-me de todos de forma delicada e até mesmo constrangida, e fui para o carro.

Estava dando a partida, quando alguém bateu no vidro do carona, fazendo com que eu me assustasse por um momento.

– Diego! O que foi?

– Eu estava pensando se seria inapropriado pedir uma carona. Eu vim caminhando e... realmente há algo que quero lhe falar.

– Claro, pode entrar – afirmei, sem ter certeza de estar fazendo a coisa certa.

47
Diego

Nós vivemos de sensações. E Patrícia simplesmente desperta as melhores em mim.

– Se você pudesse, gostaria que mudasse um pouco o caminho – pedi, enquanto ela dirigia ao meu lado.

Ela apenas sorriu e seguiu as direções que indiquei.

Deus sabia o quanto eu havia sentido sua falta e sofrido por sua ausência nos últimos dias.

Eu jurara a mim mesmo que não continuaria a esconder meu segredo dela. Eu a amava, e por isso mesmo ela tinha que saber quem eu realmente era.

Assim que ela percebeu para onde estávamos indo, pareceu um pouco contrariada, porém continuou a dirigir, indagando-me a todo instante o que eu tinha para contar.

– Já estamos chegando lá, Patel – eu dizia.

Ela estacionou o carro em um local próximo, descemos e caminhamos em silêncio até a construção em que nos abrigáramos meses atrás.

Dessa vez não estava chovendo, embora uma brisa gélida envolvesse nossos corpos. Aquele era o primeiro local onde dançamos, onde ela se abrira, onde eu a enxergara como a mulher com quem queria passar o resto da minha vida, por mais complicado que aquilo fosse. E, de fato, tudo se tornara mais difícil desde aquele dia, mas eu sabia que seus sentimentos eram recíprocos, então, escolhera aquele local para que ela também me enxergasse por completo.

Eu iria falar. Tudo.

Não vou dizer que não estava com medo. Estava, e muito.

As revelações não seriam fáceis, e por mais doce e maravilhosa que a Patrícia fosse, eu não fazia ideia de como ela iria reagir.

Sem que fosse preciso dizer uma palavra, ambos subimos a escada de concreto, dirigindo-nos para o exato local onde, da outra vez, dançamos e conversamos até a chuva passar.

– Isso não é invasão? – ela perguntou, rindo, quando já estávamos no segundo andar, frente ao imenso buraco que aparentemente daria espaço para uma janela com vista para a cidade quando a construção estivesse finalizada.

– Creio que sim – falei, fazendo com que risse ainda mais –, mas acho que esta construção está parada. Desde que estivemos aqui ninguém parece ter movido um tijolo.

– Você é doido, sabia? – ela disse, suavemente tocando minha face. – E isso me faz gostar mais ainda de você.

Tê-la ao meu lado novamente parecia um presente dos céus. Eu não acreditei nem por um momento que ela havia fugido e que nunca mais iríamos nos ver, mas, mesmo assim, era reconfortante estar junto dela novamente. E dessa vez seria para sempre, jurei a mim mesmo em pensamento, torcendo para que as revelações que faria a seguir não botassem tudo a perder.

– Nunca mais vá embora sem me dizer adeus. Aliás, nunca vá embora, por favor – implorei. Ela sorriu. – Promete?

– Prometo. Senti tanto a sua falta nesses dias – falou, beijando uma de minhas mãos

– Eu compreendi suas razões – confessei, também deslizando minha mão sobre sua face, tão linda –, mas nunca mais faça isso. Não vou suportar.

Aproximei-me dela e pude ver seus olhos, devido à claridade da lua e dos postes da rua, tão próximos ao buraco da janela. Ela parecia ainda mais linda. Não sabia se aquilo seria inapropriado ou atrevido, mas beijei-a com força, com paixão, com sede.

Ela retribuiu meu beijo e fez com que toda a vontade de viver e de lhe contar a verdade sobre mim fosse ainda maior.

Quando nos separamos, ela me encarou curiosa:

– O que você queria me contar?

Sua boca se curvou em um novo e discreto sorriso. Senti meu coração se apertar. Eu sabia que as palavras a seguir seriam devastadoras. Não queria parar de olhar aquele pequeno sorriso nunca mais. Pequeno, mas tão grande para mim.

– Patel, o que eu vou falar a seguir é muito sério.

– É o seu segredo, não é? Aquele que você não quis revelar na noite em que nos conhecemos e jogamos Verdade ou Desafio, certo?

– Esse mesmo. Meu grande segredo. Ele pede um momento assim para ser contato.

– Eu entendo e agradeço pela confiança – Patrícia disse.

Eu queria apenas abraçá-la, até que amanhecesse, e dizer a ela que ia ficar tudo bem, mas eu não sabia se isso era verdade.

– Patel, você lembra quando contei sobre as viagens que fiz quando era mais novo? – Resolvi começar assim, na origem do segredo, para que ela compreendesse tudo e para que a verdade não a atropelasse com fúria de uma só vez.

– Lembro, claro, já vi várias fotos e você já contou momentos hilários de suas viagens.

– Sim, vivi momentos ótimos durante aqueles anos. Tudo aconteceu quando eu viajava com uma pequena companhia de dança, patrocinada pelo governo da Colômbia. Nós ganhamos festivais e ajudamos a difundir nossa cultura em vários locais. Essa companhia existe até hoje, continua crescendo cada vez mais e conduz jovens para o caminho da arte e da dança.

— Parece um projeto maravilhoso – ela falou.

— É, sim. Eu apenas parei de fazer parte dela porque tive a chance de vir para os Estados Unidos e integrar essa nova companhia de dança, o que me pareceu uma ótima oportunidade de trabalho, além de me fixar em algum lugar. As viagens eram ótimas, mas após um tempo, você quer sossegar em algum lugar, criar raízes, conhecer alguém... – Um novo sorriso discreto e um novo aperto em meu coração. Respirei fundo e continuei: – A razão pela qual estou falando das viagens agora é que durante uma delas algo aconteceu. Algo que mudou a mim e a minha vida para sempre.

— Você está me deixando aflita. Fale logo, por favor. – Patrícia ajeitou o chapéu.

De repente, o medo de perdê-la me invadiu. Senti-me covarde.

— Patel, só quero que você nunca esqueça que eu a amo. De verdade e mais que tudo. E é com você que eu quero dançar todas as minhas danças, até o fim.

Ela realmente estava ficando agitada; eu precisava falar, aquele era o momento.

— Em uma de minhas viagens, em um país muito pequeno e distante, havia muitas crianças doentes e nossa companhia se voluntariou por algumas semanas não apenas para entretê-las, mas para ajudar nos cuidados, já que as condições eram precárias e as chances de sobrevivência eram poucas.

Ela ouvia com atenção, encorajando-me a falar quando eu oscilava.

— Foi então que uma dessas crianças, uma pequena menina, a Marianna, precisou muito de ajuda. Na verdade, nem sei se esse era seu nome, muitas delas não tinham família nem sabiam o próprio nome, mas era assim que eu a chamava. Sempre achei esse nome bonito, combinava com ela. – Patrícia parecia emocionada com a narrativa, ao mesmo tempo que estava apreensiva quanto ao lugar em que ela estava nos guiando. Para a verdade. – Ela era uma criança especial e estava morrendo. Passei dias cuidando dela e contando piadas e histórias divertidas, mas nem os sorrisos pareciam segurá-la mais na Terra. – Umedeci os lábios e continuei minha narrativa, motivado pela força que a simples lembrança de Marianna me trazia: – Sua última esperança seria uma doação de sangue. Eu era o único doador universal dentre os que ali estavam, portanto teria que fazer aquilo, era sua única chance. Não pensei duas vezes, nem quando nos disseram que não havia mais seringas e agulhas, e um dos professores de dança da nossa academia conseguiu, em um vilarejo próximo, apenas uma de cada, uma seringa e uma única agulha. – Os olhos de Patrícia estavam úmidos, mesmo assim, não parei. – Teríamos que fazer aquilo de forma simples e dolorida, devido à escassez de material, mas não importava, era tudo para que Marianna sobrevivesse. Eu faria qualquer coisa. Havia visto muitas mortes nos dias que se passaram, estava decidido a ver a vida vencer ao menos uma vez. Eu sabia que a vida era maior e mais forte que a morte. E eu, dentro de mim, amava a Marianna e sua luta, que me trouxe inspiração e coragem, as quais eu carregarei até o fim dos meus dias, então, fizemos aquilo; o sangue que era retirado de mim era injetado em sua veia, e então, a mesma agulha voltava a perfurar-me, para retirar mais sangue e... Você conhece o processo.

Ela assentiu e, pelo brilho que cortava o buraco na parede vi que estava, de fato, deixando que as lágrimas caíssem, dando-me a certeza de que as lágrimas não eram apenas de emoção pelo relato de Marianna, mas que ela já sabia o que estava por vir.

Continuei:

– Acontece que a Marianna faleceu poucas horas após eu ter doado o sangue de que ela precisava. Mas ela deixou algo para mim, algo além da coragem, e que também vou carregar até o fim.

Patrícia assentiu. Ela compreendia. Ela sabia. Ela estava chorando com mais força a cada instante. Mesmo assim, quis que ela ouvisse as palavras de mim:

– A Marianna era soropositiva, assim como muitas crianças daquele lugar.

Os soluços de Patrícia se tornaram ainda mais altos, quando ela, parecendo desesperada, se atirou em meus braços e me apertou com toda a força do mundo.

Retribuí seu abraço, sentindo-me tão bem por ter revelado tudo. Ela agora sabia quem eu era por completo e, se me amasse, amaria com todas as implicações que aquilo traria. Se fosse o contrário, eu posso afirmar que a amaria até o fim e que nada a afastaria de mim.

– Você se arrepende? – ela perguntou, por fim, desvencilhando-se de meus braços e olhando dentro dos meus olhos.

– Nem por um minuto – respondi.

– Essa foi a resposta mais importante que você me deu na vida.

Sorri e fui beijá-la novamente, mas, desta vez, ela se esquivou.

– O que foi, Patel?

– Diego, eu amo você. Eu amo. Amo muito – ela disse, chorando com intensidade. – Mas quero que você entenda que, apesar de admirar sua história e sua coragem, eu preciso de um tempo. Está tudo tão confuso agora. Minha vida, tudo o que está acontecendo; Matt preso a uma cadeira de rodas por um acidente na noite em que você me beijou pela primeira vez. E agora você conta tudo isso. É muito para mim. Não vou viajar de novo, nem quero me afastar de você por um dia sequer, preciso apenas de um tempo... para nós, como um casal, entende?

Eu não podia acreditar naquelas palavras, que pareceram tão duras e cruéis, mas, sim, eu podia compreendê-las. Nossas vidas haviam se perdido da noite para o dia quando nos beijamos na praia. Eu sabia como ninguém as consequências dos meus sentimentos por ela e lhe daria o tempo que fosse preciso. Embora, por dentro, eu estivesse morrendo por não saber se um dia seríamos um casal.

Ainda chorando, ela começou a se afastar, rumando para a escada de concreto que a levaria embora.

Então, como se tivesse se lembrado de que eu fora de carro até ali com ela, virou-se e me perguntou:

– Você quer uma carona até sua casa?

– Não, obrigado. Ficarei aqui por mais alguns instantes, tenho muito para pensar. Depois pretendo ir embora caminhando.

Aquilo não era verdade. Eu queria ir com ela, apenas para ter mais alguns minutos ao seu lado. E, se pudesse, roubaria todos os relógios do mundo, como tentara certa vez há pouco tempo, só para que ela não visse a hora passar e abandonasse todos os compromissos para estar ao meu lado. Porém, sabia que ela só oferecera a carona por educação e eu não queria impor-lhe minha presença naquele momento.

– Boa noite – sussurrei, cortando o vento gélido com minhas palavras quentes.

Ela sorriu. E desta vez foi um sorriso triste e cansado, de quem estava com todas as feridas da alma abertas, de quem implorava para que a vida parasse de enviar mais e mais más notícias.

– Patel, de agora em diante, para garantir que você nunca mais suma da minha vida nem por um dia, eu vou lhe fazer uma nova promessa. Eu vou lhe dizer, de alguma forma, "boa noite" todos os dias. Pode esperar por mim, mesmo que não estejamos juntos e mesmo que você não queira me ver. Eu lhe falarei "boa noite" até o dia em que meus olhos se fecharem para sempre.

Notei que ela chorava muito e que eu mesmo estava lutando contra o mundo para não chorar também.

– Diego, estou muito cansada. Sinto muito, não posso lidar com isso agora.

Essas foram suas últimas palavras, antes de descer as escadas, sair da construção e ganhar a rua.

Fiquei observando pelo imenso buraco da parede quando ela entrou no carro e, em seguida, sumiu de vista, tornando-se apenas um farol distante na multidão. Eu desejei que estivesse chovendo quando as lágrimas por fim banharam minha face, já que a chuva seria a única e perfeita companheira para aquela noite vazia, seria como se o céu chorasse junto de mim. Mas nem isso a vida me trouxe de consolo.

Nem isso.

48
Patricia

Eu sabia que já era tarde. Estava exausta pela viagem, pelos sonhos conturbados e pelas notícias estressantes, mas não podia ficar sozinha naquele momento.

Laura sabia de tudo, sabia do segredo de Diego, portanto, para respeitar sua privacidade, ela era a única pessoa com quem eu poderia falar naquele momento. O grande problema era: até que ponto sua presença ainda seria um refúgio para meus problemas quando eu havia lhe causado tantos?

Sem muito pensar, fui para a casa de Matthew.

Isso era estranho, na verdade, saber que eles estavam morando juntos. Eu sabia que não tinha direito algum disso, de achar aquilo estranho, mas infelizmente eu achava. Não era ciúme. Claro que não era. Era um certo incômodo, como se a aproximação de Matt e Laura após o acidente me irritasse de uma forma indesejada, porém incontrolável. Talvez isso fosse apenas um sentimento de posse irracional de minha parte, dadas as circunstâncias em que nos encontrávamos. Mais uma vez, obriguei-me a não pensar, concentrando-me em dirigir até chegar lá e então enfrentar as consequências de minha necessidade de não perder Laura, de tê-la ao meu lado em um momento tão confuso e doloroso.

Estacionei em frente à casa de Matt tarde da noite e considerei que ele estivesse dormindo, mas Laura certamente não estaria. Como eu devolvera minha chave naquela tarde, toquei o interfone.

– Quem é? – Ouvi a voz clara de Laura pelo aparelho.

– Sou... eu – anunciei, sem jeito.

Por um instante, pensei que talvez ela dissesse que era melhor eu ir embora, porém, o portão se abriu e entrei, cruzando o gramado e chegando à casa que os dois agora dividiam. Claro que não havia nada de errado naquilo. Matt precisava de Laura naquele momento, pois eles eram amigos. E, mesmo se fossem mais que isso, não era da minha conta – isso foi tudo o que pensei, enquanto esperava que Laura abrisse a porta.

– Está tudo bem? – ela perguntou, deixando que eu entrasse.

– Não, não está – chorei, deixando as lágrimas começarem a cair mais uma vez.

Foi então que me dei conta de que, durante todo o trajeto, tentara ocupar minha cabeça com preocupações infundadas, como o fato de ela e Matt estarem morando juntos, apenas para não pensar nos problemas que eram reais. O Diego... Não havia sido um pesadelo.

Os minutos que me separavam de nossa conversa pareciam ter sido uma eternidade, eu poderia ter sonhado, imaginado tudo aquilo, mas ao encarar Laura agora, não havia como negar quão real tudo era. Toda a história de *nós quatro*. A traição. O acidente. A sabotagem do carro de Matt. A paraplegia. A surra que Laura me deu. A revelação de Diego.

– Onde está o Matt? – perguntei. Não queria que ele ouvisse meu desabafo.

– Já está deitado. Venha até aqui – ela guiou-me até o sofá e saiu rapidamente da sala para trazer-me um copo de água.

Eu devia estar horrível. Creio que não tinha consciência do meu estado, mas, pela cara de Laura, eu definitivamente estava mais fora de controle e nervosa do que supunha.

Não sei como chegara até ali. Por Deus não sofrera um acidente também e trouxera ainda mais desgraça à nossa história. Talvez fosse esse instinto de proteção que me fizera desviar os pensamentos enquanto dirigia.

Contudo, agora já não podia mais contê-los. As palavras de Diego ecoavam em minha mente, meu coração doía e eu precisava deixar que tudo saísse transbordando de mim.

Bebi a água e joguei-me nos braços de Laura no sofá, chorando compulsivamente, não me importando se aquilo era inapropriado por causa de tudo o que nos separara nas últimas semanas, despertando em nós ódio em vários momentos. Eu não pensei. Apenas precisava dela e de seu conforto amigo e fraterno, tão certo para mim...

Quando levantei minha cabeça, ainda pensava em Diego, mas não apenas nisso. Pensava em tudo. Chorava por tudo.

Laura também estava chorando. Reparei que nos últimos tempos ela estava demonstrando suas emoções como nunca fizera. Era tudo culpa – ou arte – da dor, que nos revelava, não permitia que escondêssemos nada.

Eu a olhei dentro dos olhos e, entre lágrimas, exprimi algo que já devia ter falado semanas atrás:

– Laura, me perdoe, por favor, me perdoe. – Eu soluçava muito entre cada palavra, mas não permiti que ela me interrompesse: – Eu... n-não... qui-quis... lhe... ca-causar... dor... Não... que-quero... perdê-la...

Ela abraçou-me novamente em silêncio.

Eu sabia que Laura não havia encontrado as palavras certas para responder, mas não era necessário, visto que seu abraço falou tudo. Assim como suas lágrimas, seus olhos, o sorriso contido e triste que me lançou por fim.

Ela havia me perdoado ou, ao menos, iria tentar. Laura estava me dando mais uma chance e isso era tudo o que eu podia querer naquele momento.

– Obrigada – agradeci, sem que ela tivesse dito uma única palavra.

Quando me acalmei um pouco, iniciei o assunto que me levara até ali naquela noite:

– Diego me contou... sobre ele. Você sabia, não é?

– Sabia – ela confirmou com pesar.

– O que mais você sabe? Como ele lida com isso?

– Muito bem, na verdade. Ele costuma dizer que o bom humor e a alegria são os principais ingredientes do coquetel diário que ele dá a si mesmo.

– Isso é a cara dele – falei, e nós duas sorrimos.

Lembrei-me do primeiro dia em que estivemos na construção: o dia da chuva; o dia em que perdemos a exposição de Laura.

Diego nunca me disse o que estivera fazendo naquele lado da cidade, só que agora eu suspeitava. Aquele local, onde eu trabalhava, era repleto de consultórios e hospitais. Com certeza ele estava se consultando e Laura confirmou minhas suspeitas, dizendo que ele tem muito cuidado com a saúde.

– Ele quer viver. Ele ama viver – ela completou.

Eu sabia disso e não podia ser mais grata à vida por ter me trazido alguém tão especial. Laura pensava da mesma forma, pude notar em suas próximas palavras:

– Isso é uma das coisas que me faz amá-lo ainda mais.

Eu não esperava que ela dissesse algo do tipo para mim, naquele momento, mas admirei sua sinceridade.

– Sinto muito – desculpei-me, referindo-me ao fato de que eles já não eram namorados por minha causa.

– Não sinta – ela disse, intercalando riso e choro. – Eu tenho passado por um processo intenso e doloroso, mas tenho descoberto que talvez meus sentimentos por ele consigam se solidificar na zona da amizade, assim como os sentimentos que tenho por Matt.

– Você realmente gosta de Matthew apenas como amigo? – perguntei sem pensar.

— Claro que sim. E será sempre assim.

Ela respirou fundo e percebi que tinha algo a me dizer; fiquei a ouvir atentamente:

— Sabe, Patrícia, tudo foi muito difícil. Você e o Diego erraram muito, me magoaram muito, você sabe disso. Mas não posso dizer que foram os únicos que erraram. Descontrolei-me diversas vezes e também devo lhe pedir desculpas; primeiro pelo dia em que a agredi no hospital, eu jamais deveria ter feito aquilo; segundo, pelo fato de ter pensado que você tentara matar Matt. Não acredito que tenha sido você e não quero acreditar que tenha sido qualquer um de nós.

Fiquei em silêncio. Se tudo o que eu descobrira estivesse certo, eu sabia a verdade. E, mais que tudo, sabia as razões que levaram a cada atitude que qualquer um de *nós quatro* tomou. Eu prometera a mim que não iria julgar ninguém, embora cada um fosse arcar com as consequências do que havia feito não apenas na noite do acidente, mas desde que nos conhecemos. Eu me incluía nessa história.

Ela continuou a falar:

— E, por fim, tenho que me desculpar com você por ter feito uma coisa horrível... a mim mesma. Da outra vez você me ajudou, e eu havia prometido que jamais usaria drogas novamente.

Chocada ao ouvir aquela confissão, apenas a abracei.

Laura me relatou tudo sobre a noite recente em que se drogara. Eu a admirara intensamente por lutar contra os próprios demônios – como ela costumava dizer – e, principalmente, por saber da coragem que ela tinha ao tomar o caminho certo.

— Vamos deixar os erros um pouco de lado – falei. – Claro, eles nos fizeram mudar e ver muitas coisas, mas acho que é hora de pensar um pouco nos acertos também e em como iremos reconstruir tudo, uma vez que há muita coisa quebrada em nossa história e principalmente em nós mesmos.

— Nunca pensei que após todas as dificuldades que enfrentamos na adolescência com a sua gravidez e os meus vícios, a vida ainda guardaria para nós uma jornada tão grande de superação como esta que estamos vivendo.

— Mas está tudo bem porque estamos todos juntos — afirmei, confiante pela primeira vez.

— Sim. Temos um ao outro novamente... Pensando bem, sempre tivemos.

Conversamos por várias horas seguidas e só pude sentir o quanto era bom estar em sua presença de novo.

Ainda havia um receio teimoso e um incômodo entre nós, apesar de eu acreditar que fosse apenas uma questão de tempo; e tudo o que importava era que conversar com ela fazia meu coração sorrir novamente.

Falamos sobre Diego e sua história, que apesar de trágica, era vivida com tanta alegria. Mas também falamos de Matt, de nós mesmas, de nossos cabelos — ela insistia em fazer umas mechas por cima dos meus fios, agora loiros –, de Cassandra, dos vícios que ficariam no passado, dos telefonemas da mãe dela, de tudo e de qualquer coisa.

Quando percebi já era muito tarde e adormecemos ali mesmo na sala de Matthew, onde, em uma época mais feliz, também dormimos após boas doses de caipirinha.

Acordei muitas horas depois, sentindo-me melhor, com tudo e comigo mesma.

Laura ainda estava adormecida no sofá. Dei um beijo em sua testa sem acordá-la e saí.

O dia estava claro e bonito, combinava bem com meu estado de espírito. Fui para casa tomar um banho e segui rumo ao trabalho, apesar de não haver consultas naquele dia. Havia desmarcado todas desde o dia em que viajara para o Brasil e minha agenda voltaria ao normal apenas dali a dois dias, porém, eu iria aproveitar para fazer uma boa organização em meu consultório e uma lista de materiais que precisava comprar.

No caminho, aproveitei para escutar música em volume alto, cantando junto, como gostava de fazer. Todas as vezes que o carro parava em algum sinal, eu aproveitava para ajeitar o chapéu, olhando no retrovisor.

Era um modelo novo, que eu trouxera do Brasil, e eu estava perdidamente apaixonada por aquelas estampas.

Além disso, aproveitei o trajeto para pensar em tudo. Aquela noite fora especial, me fizera ver as coisas de um ângulo novo e esperançoso. Eu não seria feliz sem Diego, mas também não seria sem Laura e Matthew. Saber que havia esperanças para todos nós era como viver novamente.

Eu estava feliz, como não estivera nas últimas semanas.

Perdida em pensamentos tranquilos, percebi que havia chegado ao trabalho. Estacionei o carro no local de sempre e já estava andando em direção à portaria do prédio quando ouvi passos apressados cada vez mais próximos de mim.

Não tive tempo de pensar em reagir quando mãos pesadas agarraram meus ombros e atiraram-me contra a parede lateral do prédio, de modo que saíssemos da vista de quem estava na rua principal.

– Quem é você? – perguntei, assustada, tentando desvencilhar-me daquele homem desconhecido, e certamente enfurecido, que me fitava.

– Sou Kim, doutora Patrícia, mas não estou aqui querendo uma consulta odontológica.

– Kim? Você é o cara que perdeu o financiamento de pesquisa para o Matthew?

– Eu não colocaria as palavras dessa forma. Há quem diga que o processo não foi justo, ou mesmo tão íntegro quanto dizem, só que isso não importa.

– O que você quer comigo? Estava me seguindo?

– Quero que você pare de bancar a detetive e de se intrometer onde não foi chamada. Eu não tenho nada a ver com o acidente do Matthew. Pare de procurar provas que não existem e de mandar a polícia me interrogar, isso está manchando minha imagem no laboratório. Acredite, há muito sobre aquela noite que você não sabe. – Antes de me soltar e sair caminhando apressado, ele emendou: – É o único aviso que vou lhe dar.

Já dentro do meu consultório, não me lembrava de como chegara até ali. Minhas pernas ainda tremiam após ter sido abordada por aquele maluco, que parecera tão certo de suas afirmações. O que exatamente ele sabia sobre aquela noite? Estava envolvido de alguma forma?

Meu dia só voltou a fazer sentido quando uma mensagem chegou no meu celular. Havia sido enviada por Diego e dizia apenas "Boa noite".

Consultei o relógio, olhei para o céu claro, só para ter certeza de que não estava maluca: ainda era de manhã!

Como se lesse meus pensamentos, ele enviou uma nova mensagem: "Não no Japão".

49
Matthew

Ela estava maravilhosa!

O jeito como olhava para mim, como cozinhava minhas comidas preferidas e ainda inventava receitas malucas, como me levava para o jardim nos fins de tarde. Se todo aquele inferno tivera um lado positivo, fora justamente trazê-la para perto de mim.

Os dias passavam e meus sentimentos floresciam tal qual em uma bela primavera acontecendo dentro de mim; havia um jardim em meu peito, e um sentimento que me dominava mais e mais a cada dia.

O inverno em mim se esvaía e agora os ventos pareciam mais mansos.

Patrícia e Diego vinham visitar-me com frequência e, por mais difícil que fosse, por mais desastres que aquilo tivesse causado, eu já me sentia mais à vontade na presença deles novamente. Eu devia tudo isso a Laura! Não havia um dia que não me fizesse rir com suas brincadeiras. E seu perfume...

Eu estava adorando também o fato de ela ter improvisado o ateliê em minha antiga sala de leitura, assim, várias vezes por dia, pedia minha opinião sobre seus trabalhos, que me pareciam sempre maravilhosos. Embora ela tivesse alguns segredos e alguns trabalhos que não mostrasse para ninguém. Eu respeitava aquilo, sabia que era tudo parte da... *rebel-*

dia artística, como Diego costumava dizer, e nunca entrei no ateliê sem sua permissão.

Eu não queria que ela fosse embora, mas ainda não encontrara uma forma de lhe dizer aquilo. Todas as vezes em que tentei falar dos novos sentimentos que cultivava, Laura jogava um balde de água fria em mim, assegurando-me que éramos como amigos, irmãos, e que nunca passaria disso.

Aprendi que, se pretendia tê-la sempre por perto, tinha que respeitar aqueles limites.

Tudo na minha vida se resumia a isso desde o acidente.

Limites.

Os limites entre as pessoas; entre os relacionamentos frágeis e em busca de reconstrução de *nós* quatro; de meu corpo e das novas formas que eu tinha de me mover; os limites do meu jovem e fresco amor por Laura.

O dia mais feliz desde o acidente se deu em uma manhã como qualquer outra, mas em que, diferentemente de outros dias, não acordei revoltado por não poder sair andando com as próprias pernas, e sim agradeci pelo novo dia que se iniciaria na presença *dela.* Desde então, um dia era mais feliz que o outro porque ela estava sempre ali me esperando, me respeitando e cuidando de mim.

Nós líamos, jogávamos, conversávamos, assistíamos a filmes e seriados, passávamos horas no jardim ou ao redor da piscina.

Eu ficava assistindo a seus mergulhos com um sorriso bobo no rosto.

Não tínhamos uma rotina e nossos únicos compromissos eram com Liah e suas sessões sempre competentes e animadoras de fisioterapia, e com a fonoaudióloga, que ainda me submetia a consultas regulares, já que às vezes minha voz parecia falhar, apresentando resquícios do trauma. Algumas rampas e adaptações em minha casa já haviam sido finalizadas, de modo que a vida estava mais fácil dentro de casa, mas eu teria de voltar ao mundo real eventualmente para ir ao centro de reabilitação. Laura iria comigo, pelo menos eu esperava que sim.

Além das profissionais que me ajudavam, apenas Patrícia e Diego nos visitavam, praticamente todos os dias. Eles não estavam namorando e percebi que Patrícia mantinha sempre uma boa distância dele, mas aquele assunto já não fazia meu coração doer e, quando eles vinham à minha casa, era divertido ter mais pessoas para jogar cartas ou bater papo ao redor da piscina.

E o bom de tudo era que, quando eles partiam, eu não ficava só. Eu não sentia solidão nem por um momento porque, quando todos iam embora e o mundo silenciava, Laura permanecia ao meu lado como uma canção sem fim, como um poema que, mesmo sem rimas ou métrica – como ela própria era, e como era também o meu sentimento –, era o mais belo de todos.

Apesar de minha nova condição, se eu tivesse que dizer como era o paraíso, descobri que, para mim, seria exatamente daquela forma, até mesmo com a cadeira de rodas. Eu estava feliz, querendo que os dias ruins ficassem no passado, que tudo de errado acabasse.

Aproveitei uma tarde, quando ela estava concentrada em uma tela, e peguei o telefone, falando quase em um sussurro:

– Henry Morris, é o Matthew falando. Gostaria de saber como andam as investigações porque preciso acabar com isso logo.

Quando encerramos a ligação, fiquei pensativo. Não queria tocar naquele assunto com ela, eu apenas precisava saber o que o advogado descobrira recentemente.

Laura, para mim, agora era apenas sinônimo de alegria.

Girei as rodas da cadeira até o ateliê, que estava com as portas abertas, e fiquei admirando-a trabalhar.

Tão linda!

50
Laura

A vida com Matt estava legal. Ele era um grande amigo, e sua força para vencer as adversidades me estimulava.

Eu estava me divertindo muito nos últimos dias enquanto cuidava dele e lhe fazia companhia, sentia que tudo aquilo estava fazendo muito bem a mim também.

Pensei muito em como Patrícia estava lidando com a situação do Diego. Todas as vezes em que eles nos visitaram, pareciam distantes, e uma parte de mim – da qual eu muito me orgulhava – torcia para que não fosse assim para sempre, torcia para que eles se acertassem.

Era eu mesma?

Estaria sentindo aquilo?

Caramba, que progresso!

Outro aspecto de minha vida que estava claramente mudado – para melhor – era o profissional.

Eu voltei a visitar a galeria e já combinara com Hanna minha participação na próxima exposição, que seria dali a um mês aproximadamente. Estava trabalhando com afinco em quadros e peças para expor e, mesmo que não tivesse um número significativo delas – desde que destruíra tudo semanas atrás –, queria que as poucas peças que fizesse até lá fossem intensas, assim como tudo mais estava sendo em minha vida.

Nunca mais pensei na noite em que tive a recaída. Aquilo jamais voltaria a acontecer, porque aquela Laura, sem vontade de viver, entregue à dor e ao desespero, já não existia mais.

Uma vez por semana eu conversava com minha mãe ao telefone – e raramente com meu pai, apenas quando ele atendia. Até permiti que ela fizesse uma visita a mim e ao Matt certa tarde, após ser vencida por sua insistência. No fim das contas, foi legal ter minha mãe ali, vendo minha nova vida, fazendo parte daquele recomeço, embora eu não estivesse pronta para deixar que ela entrasse em minha vida de uma vez, foi reconfortante conversarmos após tanto tempo. No início, foi um pouco constrangedor, confesso. Ela chorou ao me ver, abraçou-me com força e acariciou minha face como se eu ainda fosse uma garotinha.

Matt riu de tudo aquilo, mas se sentiu muito à vontade com a visita e no fim do dia eles já estavam se tratando por apelidos.

Gostoso mesmo foi quando ela fez sua salada de pepino e manga para nós, com os ingredientes que ela mesma trouxera, e que devoramos em poucos minutos assistindo a um programa sobre música.

– Falando nisso... – mamãe disse.

– Nisso o quê? – perguntei, sem entender.

– Música. Arte. Lembrei-me de seu trabalho. Você sabe o quanto me deixa orgulhosa...

Eu sabia que não era bem assim, mas conhecia a senhora Beatriz como ninguém.

Exagerada. Sempre se esquecendo do tanto que brigamos quando decidi que queria viver da minha expressão artística. Mas, tudo bem. Se eu aceitara sua visita, não era porque esperava que ela tivesse mudado nos últimos tempos, mas porque decidira que tentaria, mesmo a certa distância, conviver com suas maneiras.

– Ah, sim – falei, limpando a garganta –, estou fazendo novas peças para uma exposição no próximo mês.

– Eu adoraria ir – mamãe disse, pegando-me desprevenida, embora eu já devesse ter previsto aquela atitude.

Ela nunca estivera em nenhuma exposição minha porque eu nunca permitira. Não tinha certeza se estava pronta para aquilo, entretanto, considerei que, com tantas mudanças que a vida arquitetara para mim, talvez aquela fosse apenas mais uma. Era tudo uma questão de perspectiva e adaptação e não de estar pronta. A vida sempre nos pega de surpresa, nunca quando estamos prontos, e é isso que nos testa e que nos faz crescer.

– Claro – falei.

Ela bateu as mãos, agitada e feliz com minha resposta.

– Você vai adorar a exposição, Beatriz – Matthew falou. – Aliás, sua salada estava divina, você deveria vir nos visitar mais vezes.

Eu não quis nem imaginar a possibilidade de Matthew estar falando aquilo com alguma intenção além de ser agradável com minha mãe, mesmo que ela parecera radiante com tanta alegria em estar junto a mim e, aos pouquinhos, abrindo uma nova porta de entrada em minha vida.

Confesso que, quando ela foi embora, eu estava me sentindo bem.

Tão bem que peguei um frasco de tinta para cabelo e fiz uma nova mecha.

Não em mim, claro. Em Matt, que não titubeou quando tive a ideia, pelo contrário, embarcou em minhas loucuras e morreu de rir com o resultado. Mais uma vez, tivemos um momento só nosso e extremamente divertido.

Seus cabelos loiros tinham agora uma grossa mecha cor de laranja.

Particularmente, achei um charme.

51
Patricia

Nos últimos dias, eu estava mais confiante e segura de mim. Acima de tudo, havia conseguido colocar a cabeça no lugar, embora não completamente, pois percebi o quanto estava indo na direção errada mais uma vez.

Se o maior erro que *nós quatro* cometemos nos últimos tempos fora justamente nos separarmos, em vez de nos unirmos nas adversidades, eu estava repetindo o erro com Diego ao tratá-lo com frieza, por causa de medos e inseguranças que trariam apenas tristezas ao meu peito.

Se eu queria provar a mim mesma que havia amadurecido com todos os problemas e que cada pedra do caminho me fortalecera durante a jornada, eu precisava mudar minhas atitudes.

Ele continuava a ser a mesma pessoa: era o cara que eu amava e com quem queria ficar até o fim e que até me fazia querer dançar! Diego continuava alegre, irônico, animado, bem-humorado. De alguma forma criativa, desde que prometera, não passara uma noite sem me desejar o "boa-noite" pelo qual eu tanto ansiava.

Ele continuava a me atrair, e eu tentava repelir tudo aquilo. Além disso, ele estava sendo extremamente respeitoso, aceitando os limites e o tempo que eu pedira – ou impusera.

Mas por que eu fizera aquilo? Por que continuava a fazer?

Era chegado o momento de parar de pensar demais, de precisar de tempo. Não. Eu tinha que aproveitar todo e cada minuto da minha vida ao seu lado.

Até o Matt e a Laura pareciam não se incomodar tanto com nossa relação, caso ela se concretizasse, pelo que demonstravam quando nós os visitávamos juntos.

Ele era o maior presente que a vida me enviara, em um momento em que pensei que nada de extraordinário fosse acontecer. Ele chegou, cheio de vida – quanta ironia! – e fez-me sentir calafrios e desejos nunca sentidos. Ele me fez amar como nunca, sonhar, querer mudar, querer ser uma pessoa melhor.

Era isso.

Eu seria uma pessoa melhor por ele, começando naquele exato momento, para correr atrás do tempo perdido.

Escolhi um vestido antigo, mas que sempre fora meu preferido. Rosa choque, com um laço branco lateral. Sapatilhas pretas, de bolinhas brancas, e um chapéu xadrez, rosa e branco, combinando com o vestido.

Subi as escadas, carregando um vinho na mão, e todo amor e toda a certeza do mundo dentro do meu peito.

Bati à porta.

Eu sabia que ele estava em casa naquele horário. Era uma bonita noite de sábado, estrelada, feliz e aconchegante. Nem tinha tanta certeza de que o visual do céu era esse, estava muito nervosa para reparar, mas dentro de mim era assim que a noite estava; era dessa forma que eu a sentia e era exatamente dessa forma que eu me lembraria dela.

Diego atendeu a porta, conduzindo-me para dentro de seu apartamento.

Não falei nada.

Coloquei o vinho sobre a mesa de vidro e segurei Diego com força.

Antes que ele pudesse dizer qualquer coisa, beijei-o com suavidade, por muito tempo, até que o beijo se tornou desesperado e ardente, e senti que queimava por dentro.

Deslizei até a mesa e abri a garrafa de vinho. Ele buscou duas taças e nos serviu. Brindamos à vida e aos dias melhores que finalmente haviam chegado. Enquanto bebíamos no sofá, sem que pudéssemos parar de olhar um para o outro, levei a mão dele até um dos pingentes que eu carregava no pescoço: o pingente dourado em formato de garotinha.

Aproximei meus lábios de seus ouvidos e falei algo que eu desejava com toda força:

— Esta não é apenas a Cassie. É também a Marianna.

Ele sorriu de forma tão espontânea, um sorriso tão amplo e convidativo, que o beijei de novo e, em seguida, mais uma vez.

— Você tem certeza? — ele perguntou.

— Tenho. Esse pingente representa o que é importante para mim. Ele pode ser tudo e qualquer coisa ao mesmo tempo. E eu decidi que será a Cassandra, minha filha, mas também será a Marianna.

— Você é maravilhosa.

Então, olhei em seus olhos e agarrei-me a eles, como se fossem o último cordão de esperança na terra, como se fossem tudo o que tinha me restado, como se fossem minha própria vida, um túnel sem fim, que eu queria cruzar e que me levaria à redenção. Dizem que a fé é a própria oração na qual a gente fala, pede, implora por ajuda, e nunca ouve resposta, pelo menos não com palavras. Era assim que eu via seus olhos naquele momento, como a resposta para todas as minhas preces. Um vazio, um silêncio. Uma resposta divina, a prova de que ninguém está sozinho nesta vida. A prova de que algo – ou Alguém – divino olha por todos nós e faz as pessoas certas entrarem nas nossas vidas nos momentos certos, mesmo que para nós pareça o momento errado. Assim eram seus olhos para mim: as respostas, o fim, o começo, o recomeço. Eram como voltar para casa após enfrentar uma tempestade assombrosa e atirar-me numa noite escura sem promessas de retorno. Eu estava bem, estava em casa, estava com ele. Eu tinha fé naqueles olhos e eles tinham fé em mim, eu sentia isso quando me olhavam de volta. O último cordão de esperança. A resposta de Deus a todas as minhas orações, mesmo às que eu deixara de fazer.

– Diego, você quer ser meu namorado?

Naquele instante, libertando todo seu jeito de menino, ele pulou do sofá e comemorou como se tivesse ganhado um campeonato de beisebol.

– Claro! Claro! Claro! – ele gritava, celebrava e fazia gestos no ar enquanto pulava como se um público nos assistisse e como se ele tivesse acabado de ganhar um troféu.

Aquele era o Diego, sempre arrumando um jeito de me fazer rir.

Ri com intensidade, abraçando-o e o beijando.

– Quero que fique com isso – falei, estendendo-lhe uma cópia da chave do meu apartamento.

– Você é uma caixinha de surpresas, Patel. A *minha* caixinha de surpresas.

Ele retribuiu o gesto, entregando-me a chave reserva de seu apartamento.

Oficialmente, minha casa era a dele e vice-versa. Estávamos unidos em todos os sentidos possíveis. Exceto um. E era aquele o momento perfeito para que eu fosse dele e ele fosse meu por completo. Eu o envolvi com força e o conduzi até seu quarto, beijando seu pescoço, seu ombro, seus braços bem definidos.

Quando me deitei na cama, senti o peso de seu corpo contra o meu e soube que aquele era o único lugar do mundo onde eu deveria estar naquele momento. A única verdade. A resposta para todas as preces e a solução para todos os males.

Enquanto alisava minha face com suavidade, olhou em meus olhos e disse, com certo receio:

– Patel, eu quero você, eu preciso disso. Mas também não posso deixar de perguntar. Sabendo que sou soropositivo, você tem certeza do que estamos fazendo?

– Sim, absolutamente. E você?

– Sim! Sim! Sim! – ele falou, rindo com seu jeito desajustado.

– Teremos de nos precaver sempre – falei –, mas seremos como qualquer outro casal.

Ele sorriu, mas ainda senti certa apreensão em seu olhar.

– Diego, há algo mais que você queira me falar?

– Eu... – ele respirou profundamente, tomando coragem, então, disse: – eu nunca... Você sabe.

– Você está querendo me dizer que é virgem? – perguntei, incrédula. – Não sabia que isso existia após os vinte.

Ele gargalhou com força, e continuou:

– Desde que soube o que a doação de sangue à Marianna trouxera para mim, nunca tive coragem... Eu era muito novo naquela época, mas até hoje sempre tive receio. Pode ter sido tolice minha, mas nunca encontrei alguém em quem eu confiasse por completo, assim como não encontrei alguém que confiasse em mim e que me aceitasse como sou.

– Mas... e a Laura?

– Ah, sim, ela tentou no começo de nosso relacionamento, mas assim que lhe contei tudo, ela me respeitou por completo e deixou que o momento chegasse. Mas acontece que o momento certo chegou agora, com você... – ele disse, beijando minha nuca.

– Você não tem que ter receio de nada – falei, com sinceridade e carinho –, e sabe que pode confiar em mim. Eu não apenas o aceito, como também quero você do jeito que é, sem mudar nada.

Assim que disse aquelas palavras, senti suas mãos suavemente levantando meu vestido e, então, tirando-o de meu corpo.

Sem pressa, beijei cada centímetro de sua pele enquanto também o deixava nu e entreguei-me inteiramente a ele, como se, de certa maneira, fosse também minha primeira vez.

Quando estávamos unidos, eu o ouvi sussurrar delicadamente que era ali que ele queria ficar para sempre.

52
Diego

Acordei na manhã seguinte com o suave barulho da chuva fina. Levei alguns segundos para tomar consciência do que havia acontecido, já que meu quarto parecia preenchido por algo diferente. E, por mais brega que isso possa soar, era o amor.

Movi-me lentamente na cama, sentindo o corpo de Patrícia entrelaçado ao meu enquanto cenas da noite anterior passaram por minha mente, como se eu assistisse a um filme perfeito, do qual graças a Deus eu era parte.

Encostei minha cabeça à dela por alguns instantes e permaneci sentindo o cheiro suave de seus cabelos enquanto ela ainda dormia.

Tudo o que eu queria era ficar ali para sempre, vendo-a dormir tranquilamente com uma expressão suave, que me fez sentir o cara mais sortudo do mundo. Brega, mais uma vez, eu sei. Acordei um completo bobo aquele dia, querendo falar todos os clichês apaixonados do mundo, pois finalmente eu era a prova de que os clichês do amor são, apesar de bregas, verdadeiros. Todos eles.

Pensei em preparar um café da manhã – dessa vez, no momento certo do dia – para Patel, então levantei da cama, tomando cuidado para não a acordar e saí do quarto.

Meia hora mais tarde, eu estava parado na varanda do meu quarto, absorvendo as gotas mansas da chuva quando percebi os movimentos lentos de Patrícia despertando.

– *Buenos días, señorita* – falei, ainda da varanda. Mais uma vez eu tinha plena convicção da cara de bobo alegre que fazia.

Patel foi se virando lentamente e, quando se deparou com a surpresa que eu preparara, colocou aquele sorriso lindo na face, que me trouxe mais flashes da noite perfeita que tínhamos vivido.

Eu havia levado a mesa até o quarto, já que não tinha uma bandeja de café da manhã, e colocara tudo o que havia para comer no meu apartamento, assim ela podia escolher o que desejasse.

Havia leite, café, frutas, biscoitos, frios, enfim, eu literalmente esvaziara a geladeira e os armários.

Lentamente se espreguiçando e levantando da cama, ela disse, sorrindo – sempre sorrindo:

– Só você mesmo...

Olhou em minha direção e eu abri os braços, chamando-a para a varanda.

– Espere aí – ela disse, olhando para o céu pela primeira vez –, está chovendo. O que você está fazendo na chuva? Diego! Você não pode ficar doente!

Ela veio correndo em minha direção e tentou me puxar:

– Vamos entrar, agora!

– Só um momento, Patel. A chuva está muito fraca, não tem problema. Eu quis vir até aqui e agradecê-la porque sinto que ela foi uma espécie de cupido em nossa história.

– Ah, sim. A primeira vez em que nos refugiamos na construção...

– Viu só? Temos muito que agradecer a ela – falei, abraçando Patrícia e girando-a em uma dança sob as finas e espaçadas gotas que nos recobriam. – Não que eu ache que não iria me apaixonar por você de qualquer forma. Tenho certeza de que sou apaixonado por você desde sempre, faça chuva, sol, não importa, mas temos que concordar que aquela tempestade acelerou um pouco as coisas e fez com que eu não conseguisse mais esconder meus sentimentos, nem de mim mesmo.

Ela balançou a cabeça, contrariada pelo fato de eu estar na chuva, mas não podia resistir a um momento daqueles: uma manhã perfeita após uma noite perfeita. A combinação que todos anseiam viver um dia. Tínhamos tanta sorte!

Eu sentia que podia tudo, que tudo estava certo, e que tudo – o mundo – era meu.

Enfim, atendi seu pedido e entramos no quarto para tomar nosso café da manhã.

– Estou com um pouco de dor de dente, você conhece alguma dentista para indicar? – perguntei, puxando a cadeira para que ela se sentasse.

– Você não cansa, não é? – ela questionou, rindo daquele jeito lindo.

– Do quê? De fazê-la feliz? Não, infelizmente não canso. – Fingi expressões sérias, que me levaram a realmente querer falar algo sério. – Sabe, Patel, nunca desisti de você, porque eu sabia que você era algo pelo que valeria a pena lutar. Eu lhe disse que seria assim, naquela noite em que conversamos no lago. E assim vai ser sempre.

Ela segurou minha mão sobre a mesa, e, com a outra, levou um morango até minha boca.

Mais tarde, quando estávamos mais uma vez aconchegados na cama, perguntei algo sobre o que estava curioso:

– Você ainda tem aquele advogado que estava ajudando na lista de suspeitos e que conseguiu que pudéssemos visitar o Matt no hospital quando Henry Morris havia dificultado as coisas?

– Sim, aquele advogado tem... me ajudado.

– E você descobriu algo interessante?

– Não vamos falar disso hoje, *honey*, pode ser? – ela perguntou de um jeito tão meigo e hipnotizante que não pude discordar.

Até me arrependi de ter trazido aquele assunto à tona naquele momento. Patel ficou pensativa e um pouco alheia após a breve menção ao assunto, voltando a sorrir apenas quando a abracei com força e anunciei eloquentemente, quebrando o silêncio do quarto:

– E para você, linda senhorita, bom dia, boa tarde e boa noite!

53
Matthew

Fazia tempo que eu não saía de casa para algum lugar além do centro de reabilitação – que agora eu visitava duas vezes por semana. E, por insistência de todos, concordei em ir para o apartamento de Diego, provar uma receita colombiana que ele faria para *nós quatro* naquela tarde. Apesar de a situação parecer um pouco forçada a princípio, concordei, já que a Laura pareceu genuinamente empolgada com o programa.

Ela me levou em seu fusca azul, atendendo o meu pedido, já que eu adorava aquele carro, temperamental e chamativo como a dona.

Assim que chegamos, percebi que Patrícia e Diego haviam tentado criar um clima descontraído para a nossa primeira tarde reunidos após minha saída do hospital, em um ambiente que não fosse minha própria casa. Música alegre tocava em um volume agradável, flores coloridas estavam espalhadas em vasos pela sala, e havia petiscos sobre a mesa.

– Matt! Laura! Que bom que chegaram! – Diego disse, caminhando animadamente em nossa direção.

– É bom estar aqui – falei. Então, meus olhares encontraram, sem querer, as marcas na parede que *nós quatro* fizéramos no dia em que ajudamos na redecoração daquele apartamento. Havia sido um dia intensamente feliz.

Não, não era saudável focar naquelas lembranças. Os tempos eram outros.

– Aceita uma bebida? A comida estará pronta em alguns minutos – a voz de Patrícia me chamou de volta ao momento presente.

– Claro.

Tivemos uma tarde agradável, não posso negar.

Diego estava a mil com suas piadas, Patrícia parecia bem à vontade, e até Laura estava descontraída. Fiz o máximo para relaxar também e tentar curtir o momento. A presença de Laura me tranquilizava todas as vezes em que eu percebia que Patrícia e Diego estavam mais unidos e que, definitivamente, eram um casal. As lembranças da praia, da noite do acidente, vinham à minha mente, mas eu buscava refúgio nos olhos de Laura, escondendo-me delas.

A grande surpresa do dia ficou para o momento após o almoço, em que Diego contou-me sobre sua doença. Eu sabia que ele escondia algo, mas nem em mil anos poderia supor que fosse aquilo.

Pensei em quantas histórias, tristes ou alegres, de lutas e sacrifícios, cada pessoa carrega na vida. Às vezes quem está bem do nosso lado tem um segredo capaz de mudar muita coisa e, por mais que pensemos que conhecemos alguém, sempre há muito mais para conhecer. Ninguém sabe completamente o que cada pessoa guarda por trás de seus olhos, por trás de suas histórias, nos dias que já se passaram e se perderam no tempo...

Laura e Patrícia sabiam sobre o segredo de Diego e não fiquei chateado por ser o último a saber. Eu compreendia que para certas revelações havia o momento certo, as razões certas e, acima de tudo, a sensação de estar fazendo a coisa certa.

As meninas nos deixaram a sós por alguns instantes, enquanto foram lavar a louça, após terem insistido que fariam aquilo, então Diego e eu tivemos um tempo para conversar.

— Matt, não sei se um dia você vai me perdoar por completo, mas quero que saiba que é sempre bem-vindo aqui em casa, na minha vida, em todos os momentos...

— Eu sei – falei, sem muita paciência para drama. – Sabe, se eu estivesse bem quando acordei no hospital, teria socado sua cara.

— Você pode fazer isso agora, se o fizer sentir-se melhor.

Eu ri, claro. Diego sabia o momento perfeito para dizer besteiras.

— Não, claro que não. Isso não vai ajudar em nada. Acho que o melhor foi eu ter ficado preso àquela cama de hospital, sem poder nem falar, pois não sei como teria lidado com tudo se estivesse bem.

— Você teria lidado como sempre lida com tudo. Da forma certa – ele falou. Mas não era bem assim, eu já errara muito na vida.

— O importante é que essa fase já passou. Hoje eu vejo nossa situação de forma mais clara e quero que você saiba que, apesar dos ressentimentos, a raiva passou.

— Obrigado – ele disse, olhando-me com olhos tão esperançosos que eu quase quis apertar sua mão, mas me contive.

As meninas chegaram animadas à sala, interrompendo, ainda bem, nossa conversa.

— O Kim a perturbou mais alguma vez? – perguntei à Patrícia.

— Na verdade, não, só aquela vez mesmo.

— Não precisa se preocupar mesmo, ele é completamente doido. Digo, é um ótimo pesquisador, e a disputa pelo financiamento foi concorrida, mas, como pessoa, ele tira do sério qualquer um naquele laboratório – falei.

— Você acha que foi ele... que sabotou o carro?

Laura havia feito a pergunta. Senti que foi um pequeno erro, considerando que não estávamos prontos para discutir aquele assunto, pois apesar da descontração, ainda era um momento em que estávamos um pouco tensos.

— Não sei – admiti. Aquela não era minha resposta verdadeira, era apenas um jeito de mudar o assunto.

— E como está a pesquisa? — indagou Diego, mudando o rumo da conversa — Você vai voltar em breve para o laboratório?

— Sim, sempre que for preciso. Tenho conseguido trabalhar em casa também e adiantar algumas coisas. A equipe é muito boa e a pesquisa não foi afetada pelo acidente.

Continuamos a conversa, mas com o passar da tarde fui sentindo-me cansado e com vontade de voltar para casa. Ainda estava me readaptando à vida e aos ambientes, portanto era bom não abusar.

Diego e Patrícia agradeceram muito a visita e, sendo sincero, prometi repeti-la em breve.

No carro, ao lado de uma Laura bastante sorridente, agradeci:

— Obrigado por me trazer até aqui. Eu já perdi tanta coisa, não quero perder nossos amigos também, e não acho que conseguiria sem você.

— Você se saiu muito bem — ela falou.

Eu queria abraçá-la, falar que tudo o que fizera de certo nos últimos tempos era mérito seu. Sem ela, eu era todo errado e gostava mais da versão de mim mesmo quando estava ao seu lado. Queria dizer o quanto ela era importante, o quanto ela me mudara, o quanto fizera por mim.

— Laura?

— Sim?

Fitei a lateral de seu rosto, concentrado enquanto dirigia.

— Nada — falei, soltando um forte suspiro.

54
Patricia

O almoço na casa de Diego junto a Laura e Matthew havia me trazido a coragem necessária para convidar Laura para uma saudosa "noite das garotas".

Ela estava tão descontraída nos últimos tempos que aquele parecia o momento perfeito para nos reaproximarmos ainda mais.

– Eu topo – ela disse no telefone –, desde que você me deixe fazer uma mecha no seu cabelo, que está tão sem graça, assim, com uma cor só.

Tentei discutir o assunto, mas claro, ela venceu.

No fim das contas, concordei em deixá-la fazer uma única mecha entre meus fios loiros, da cor que quisesse.

A programação seria a seguinte: ela viria para minha casa, faria a mecha em meu cabelo enquanto bebíamos uma garrafa de vodca, em seguida iríamos à boate que costumávamos frequentar antes de eu ir para o Brasil.

Os meninos não se opuseram à ideia, embora Diego tenha demonstrado claros sinais de ciúmes – o que eu adorei.

Dessa maneira, eles teriam um tempo bacana para conversar também e continuar trabalhando na reconstrução de sua amizade, já que

Diego prontificou-se a ir para a casa de Matthew e ficar com ele enquanto nós saímos para a noite.

Matt protestou e disse que ficaria bem sozinho, mas Diego foi implacável, claramente querendo passar mais tempo na presença do amigo, e o intimidou para uma noite de jogos de tabuleiro ou cartas, como ele preferisse.

Assim, no horário combinado, Laura chegou ao meu apartamento com sua garrafa de vodca e a tinta para meu cabelo.

– Rosa – ela falou, agitando o tubo de tinta no ar. – Exatamente do mesmo tom que estavam as pontas quando conhecemos os meninos no Beira-Mar. Pensei que seria uma ótima forma de simbolizar o recomeço.

– Creio que esteja certa. Você sabe que adoro essa cor, estou aliviada que a tenha escolhido.

Dentre as doidices de Laura, aquela era a melhor.

Nossa "noite das garotas" se seguiu agradável, de fato.

Fomos de fusca azul à boate, ou seja, atraímos olhares desde que chegamos, o que nos fez rir o tempo todo.

Aproveitamos para dançar e relaxar o máximo possível. Demos o fora em vários caras que tentaram se aproximar, e até fingimos que éramos namoradas quando alguns irritaram demais, o que foi divertido.

O problema desse tipo de argumento é que alguns caras parecem adorar o fato de eu e Laura sermos um "casal". A gente sempre acaba tendo que lançar outro fora definitivo nessas situações. Tipo:

– A gente não gosta de pênis.

Aí eles caem fora, e a gente garante a próxima risada.

Contudo, mesmo entre tantos momentos divertidos, não pude evitar que certos pensamentos surgissem. Organizei-os como pude, em forma de uma única e grande indagação, que fiz à Laura:

– Se você está solteira – perguntei, quando nos aproximamos do balcão para pedir cervejas, quase gritando devido à altura do som do DJ –, por que não quer conhecer ninguém?

As cervejas chegaram. Ela pegou sua garrafa e guiou-me de volta para o meio do salão.

– Venha, vamos dançar! – Laura disse, fingindo que não ouvira minha pergunta.

Nós dançamos perdidas e soltas durante horas. Podia sentir o suor invadindo o chapéu em minha cabeça. Mas tudo estava perfeito: a noite, a música, a companhia de Laura.

– Eu queria ser uma mosquinha para espiar os meninos agora – ela disse, quando fomos para um canto, exaustas de tanto dançar.

– Acredite, eu também!

– Nós aqui, como duas jovens desimpedidas, e eles parecendo dois vovôs jogando carta e assistindo ao noticiário! – Rimos com aquela imagem, que provavelmente estava bem próxima da realidade, então, a falta de vergonha que o álcool me trouxera fez com que, sem pensar duas vezes, eu voltasse ao assunto que queria: – Você devia dar uma chance a Matt.

Laura soltou uma gargalhada exagerada e tirou a garrafa de cerveja da minha mão.

– O álcool está suspenso para você, *lady*, já está dizendo coisas sem sentido!

– Claro que não! – questionei, pegando minha garrafa de volta. – Eu vi o jeito como ele olha para você. Matthew é um cara maravilhoso e vocês combinam.

– Não quero falar sobre isso, pode ser?

Concordei, já que não queria deixar que nada causasse qualquer tipo de constrangimento em nossa noite extremamente divertida.

Aproveitamos que estávamos num canto do salão para analisar o visual de quem passava por nós, e rimos da falta de bom gosto muitas vezes.

A noção de "atraente" sem dúvida não é a mesma para todas as pessoas. Laura e eu sempre nos divertimos opinando sobre o visual das pessoas na noite. Era mais um dos nossos muitos rituais infalíveis para ter uma boa noitada.

Definitivamente, aquela era a Laura! Aliás, aquelas éramos *nós* juntas, sem medo, sem vergonha de nada, sem ressentimentos. O álcool, a música, o ambiente, tudo ajudara, mas mesmo assim éramos nós porque queríamos ser, porque queríamos estar juntas como sempre, e assim fizemos.

Quando voltamos a dançar, completamente envolvidas pelas batidas da música e pelas luzes coloridas que nos rodeavam, pensei no quanto eu queria que Laura e Matt dessem certo.

Eu sei, já achara isso estranho. Porém, eu encontrara a felicidade ao lado de Diego de uma forma que jamais pensei que encontraria.

Eu amava a Laura e amava o Matt. Nada mais natural que desejar a felicidades deles também, e, se pudesse ser um com o outro, melhor ainda.

Os dias em que me senti incomodada com a aproximação deles fazia parte dos dias em que eu afastava Diego, em que não me sentia à vontade na vida de forma alguma, em que estava completamente perdida nos problemas. Mas aqueles dias ficaram para trás. E muito me orgulho de dizer que ficaram para trás porque eu quis que fosse assim, porque eu lutei para isso, porque eu ditei como minha vida seria. Feliz.

Eu e Laura só saímos da pista quando a música acabou e os seguranças praticamente nos expulsaram.

Com os sapatos nas mãos – porque sapato de salto alto é um verdadeiro assassino para pés femininos dançantes –, voltamos para o fusca azul, acenando para os seguranças que nos fitavam da porta da balada.

Estava amanhecendo.

– Devíamos fazer isso mais vezes – Laura disse, expressando exatamente tudo o que eu pensava.

Ela me deixou em casa e seguiu de volta para a casa de Matthew.

Desmaiei na cama, sobre um fofo bilhete que Diego devia ter escrito e colocado ali na noite anterior, com as palavras "boa noite". Segurando com força aquele papel e amassando-o junto ao peito, dormi enquanto sentia o quarto girar pelo efeito do álcool.

Acordei com o som estridente do meu telefone, sem saber quantas horas dormira.

Era meu advogado, com algumas confirmações pelas quais eu esperava.

Estava chegando a hora de dizer ao mundo a verdadeira história por trás da noite em que Diego me beijara na praia. Definitivamente, tive certeza de que nem todos estavam sendo honestos e de que alguma cena, em breve, seria reescrita por algum de *nós quatro*.

55
Laura

Eu estivera tão rasgada e dilacerada nos últimos tempos que sentir minha vida tendo as tramas costuradas de volta trazia uma maravilhosa sensação de poder.

Eu sentia que era dona de mim e de minhas amizades, e que as levaria para o rumo que quisesse. O rumo certo.

Cheguei em casa e encontrei Diego dormindo no segundo quarto de hóspedes, e Matt em seu próprio.

Fui para a minha cama e adormeci imediatamente por entre flashes divertidos que passavam na minha cabeça da "noite das garotas".

Quando acordei, muitas horas depois, Diego já havia partido e Matthew estava em sua cadeira de rodas no jardim.

– Boa tarde, garotão! – falei, aproximando-me sorrateiramente dele.

– Ei! Como foi a noite? Pelo fato de você ter chegado apenas pela manhã, creio que muito boa. Estou certo?

– Está, sim. Muito certo.

Contei alguns detalhes engraçados para ele, mas minha mente insistia em voltar a um certo pensamento. Eu o deixei bem escondidinho, claro, mas não podia escondê-lo de mim mesma.

Continuava ouvindo as palavras de Patrícia ecoando em minha mente, a forma como ela me questionara sobre conhecer alguém. Talvez eu não quisesse conhecer mais ninguém. Mas por quê?

Então, eu voltava a pensar em como ela falara a respeito de Matt...

Não. Não. Não.

Ele era meu amigo. E ponto.

A boa notícia que eu dei a mim mesma naquele dia foi quando percebi que realmente restaram poucos vestígios de minha amargura com Patrícia e menos ainda de minha revolta por ela e Diego estarem juntos.

Após conversar com o Matt e dar um mergulho na piscina, fui até o ateliê trabalhar em algumas peças. Definitivamente eu estava inspirada!

56
Patricia

Naquele dia, eu liguei para minha madrinha em Londres, para minha mãe e para antigos colegas. Era como se eu precisasse saber quem desejava fazer parte da minha nova vida, quem ainda teria orgulho de dizer que me conhecia e quem eu deveria esquecer que um dia cruzara meu caminho.

Pode parecer uma atitude radical. Na verdade, nem sei o quanto dela foi consciente, contudo, ouvir vozes conhecidas, capazes de despertar as mais variadas lembranças, parecia uma boa estratégia para que eu pudesse me sentir parte do meu novo mundo, trazendo a ele apenas o que era real para mim.

Certas coisas a gente não pode afastar, eu sei.

Por exemplo, a insuportável e fofoqueira Daniela, que dividia o consultório comigo, eu não podia simplesmente colocar para escanteio.

Eu amava meu trabalho, minha sala, meus pertences e a forma como tudo ficava disposto, fazendo com que aquele cantinho fosse quase um santuário meu.

Não queria me mudar de prédio, então tinha que conviver com a Dani e suas manias irritantes.

Nesse caso, não era uma questão apenas de manter o que era verdadeiro, mas de trazer para meu novo mundo tudo o que fosse essencial.

As mudanças interiores eram as maiores, portanto, quanto menos eu mudasse meu dia a dia, melhor aceitaria tudo o que estava acontecendo.

Eu mudara devido a tudo o que sentira, vivera e descobrira nos últimos tempos. Estava chegando o momento de que meus amigos, que também haviam mudado muito, soubessem o que aconteceu na noite do acidente.

As peças se encaixavam e tudo fazia sentido. Agora era apenas uma questão de aceitar as mudanças que aquilo tudo acarretaria e seguir em frente. Eu rezava para que não seguisse sozinha. Queria, sim, continuar a jornada, mas com todos eles ao meu lado – todos os que eram *verdadeiros*.

57
Matthew

Os dias passaram ligeiros, como quando a gente faz aquilo que ama. Na verdade, minha vida seguia exatamente dessa forma.

As sessões de fisioterapia com Liah estavam rendendo bons resultados, eu já sentia mais confiança em meu corpo e aprendera a ter mais autonomia para fazer coisas básicas, o que era um grande avanço.

Na verdade, quando você passa por uma situação dessas, percebe que as coisas pequenas da vida têm tanto valor quanto as grandes. Ou mais. Eu valorizava coisas tão simples agora, e isso era um presente. Não que o acidente tivesse sido um presente, longe disso. Só eu sei quanta dor passei em todo o processo, porém, por trás de minhas expressões carrancudas, eu estava começando a ser feliz de novo.

A Laura. Sempre que pensava na felicidade era porque estava pensando nela.

Era bom também estar de volta à pesquisa, mesmo que na maioria dos dias eu trabalhasse em casa, com tabelas e resultados enviados pelo pessoal da equipe.

Assim, em meio a uma tranquilidade que, antes fugidia, parecia ter vindo agora para ficar, sem demora os dias se passaram e chegou o esperado momento da exposição de Laura.

Nos últimos dias, quando finalizara algumas peças, ela não me deixara ver nada, optara pelo sigilo artístico e pela surpresa agradável que eu teria durante a exposição.

Comprei um terno novo para a ocasião – é válido dizer que foi um terno que *ela* mesma escolheu quando fomos à loja juntos no dia anterior à exposição –, me vesti, já era especialista em trocar de roupa sem ajuda, e fiquei na sala aguardando pela estrela da noite.

Não sei dizer quantos centímetros meu queixo caiu assim que ela surgiu, radiante, andando em minha direção.

Laura estava usando um macacão azul-petróleo, bem justo ao corpo, evidenciando a perfeição de seus contornos. Sua maquiagem era delicada, e seus cabelos, curtos e verdes, totalmente espetados. Um par de brincos de argolas douradas completava o visual magnífico, digno daquela noite, digno daquela mulher linda, que eu amava mais a cada dia.

Ela fez questão de empurrar minha cadeira de rodas quando atravessamos o gramado até o fusca azul. E também quando chegamos à galeria.

As peças já estavam lá, ela as havia levado mais cedo, e o local estava começando a lotar. Outros artistas estavam expondo naquela noite e, assim que chegamos, fomos cumprimentados por Hanna, a amiga de Laura, de forma eufórica. Ela estava correndo de um lado para o outro, obviamente com mais coisas para fazer do que daria conta.

Rimos de seu jeito afobado e entramos no salão onde estavam as peças de Laura.

A atenção dela já não era completamente minha, entretanto, a cada pessoa que a cumprimentava, eu me sentia orgulhoso, como se ela realmente fosse minha namorada.

Com o queixo caído pela segunda vez na mesma noite, fitei deslumbrado as peças ao meu redor.

Não era apenas porque as peças e as telas haviam sido feitas por Laura. Não, não era apenas por isso.

A verdade é que ela era muito talentosa.

Havia poucos itens, devido ao pouco tempo que ela tivera, contudo, eles eram absolutamente fantásticos.

Peças abstratas, começando com tons escuros, representativos de dor e sofrimento, e evoluindo conforme a disposição na sala, para tons vibrantes, alegres e de esperança.

Eram as nossas vidas ali, retratadas em forma de arte, para que o mundo as visse e testemunhasse nosso crescimento.

No centro do salão, havia uma peça coberta, e ouvi Laura comentando com várias pessoas que a questionaram que ela a mostraria dali a alguns instantes para todos os presentes.

Minha curiosidade aumentou, qual seria a peça-chave para aquela exposição tão fantástica e perfeita?

Das trevas à luz. Era assim que eu via as obras de Laura, e era assim que havia sido nossa jornada. Tudo precisou se perder na escuridão para que encontrássemos o sol mais uma vez.

Logo, minha atenção foi desviada para uma mulher que beijava Laura com entusiasmo e dizia milhares de palavras ao mesmo tempo.

Quando elas se distanciaram alguns centímetros, reconheci Beatriz, a mãe de Laura, que parecia estar ainda mais empolgada e agitada que no dia em que nos visitara. Claramente estava orgulhosa do talento da filha, e, acima de tudo, feliz por ser testemunha dele pela primeira vez.

Eu, particularmente, senti ainda mais orgulho de Laura, por ela ter permitido que a mãe fosse ao evento. Eu sabia do passado difícil que elas tinham e do quanto aquilo tudo significava.

Não demorou muito para que Laura fosse puxada para longe da mãe, para conversar com outros visitantes. E, desta vez, eram Patrícia e Diego que haviam chegado.

Meu coração parou por um segundo. Eles estavam de *mãos dadas*.

Respirei fundo, tentando manter o controle.

Eu sei que meus sentimentos eram todos de Laura agora, mas, ainda assim, não era fácil vê-los daquela forma. Tão bem. Tão felizes e apaixonados. As lembranças insistiam em me torturar, embora eu lutasse para não lhes dar espaço. Não na grande noite de Laura.

Sorri para eles quando me cumprimentaram, e mantive as aparências a noite toda de que estava tudo na mais absoluta normalidade.

Patrícia estava muito bonita, com um decotado vestido vermelho e lábios pintados da mesma cor. Um chapéu preto, de laço vermelho, sapato alto. Linda.

Tentei vê-la como uma amiga, que eu admirava, respeitava e amava exatamente daquela forma... como amiga.

E acho que funcionou, de certa forma, principalmente quando meus olhos vislumbraram suas mãos junto das de Diego e, mais ainda, quando meu olhar cruzou com o de Laura.

Por sorte, não tive mais que me preocupar com aquilo, pelo menos momentaneamente, já que Laura chamou a atenção de todos os presentes, dizendo que era o momento de inaugurar a peça central daquela exposição.

Dirigindo-se ao centro do salão, e conduzindo-me junto dela, sob aplausos entusiasmados – principalmente os meus e os de Beatriz –, ela tirou o tecido que recobria uma tela retangular em um cavalete.

Eu estava adorando estar ali, junto dela. Não porque todos os olhares estavam em nós, eu nem gostava de atenção daquela forma, mas por ser eu a pessoa que estava do seu lado enquanto ela mostrava a todos a peça central da exposição, que em todos os sentidos possíveis representava o recomeço pelo qual estávamos passando.

Ela fez sinal para que Diego e Patrícia se juntassem a nós, enquanto os aplausos diminuíam, para que ela pudesse inaugurar, de fato, a obra.

Minha atenção voltou-se completamente para a tela.

Era uma obra única.

Éramos *nós quatro*. Nossas silhuetas pintadas com a sutileza e a percepção de uma verdadeira artista.

Ela não pintara nossas expressões. Éramos quatro figuras desenhadas em sombra, porém, era possível distinguir quem era quem. O chapéu de

Patrícia a denunciava, assim como os contornos dos cabelos rebeldes de Laura. Eu e Diego também éramos facilmente reconhecíveis pelo formato de nossos corpos e por nossas alturas, eu era bem mais alto que ele.

Na tela, estávamos na formação inicial, como começamos nossa jornada. Patrícia me abraçava, éramos um casal. Assim como Laura e Diego estavam juntos. Porém, era perceptível ver uma das mãos de Patrícia sorrateiramente esticada e unida a uma das mãos de Diego. Nem sei dizer quantas vezes meu estômago revirou conforme eu percebia os detalhes daquela obra.

Assim como toda a exposição, a tela também ia das trevas à luz. Suas bordas eram enegrecidas, mas se suavizavam, e, já no centro, onde estavam nossas figuras, a imagem ficava clara como um raio de sol ao nosso redor, evidenciando nossas silhuetas tão bem delineadas.

Todos no salão contemplaram a tela e então dirigiram seus olhares para *nós quatro* ao seu lado.

— Esse trabalho é o mais importante que já fiz em toda a minha vida. Eu sou rebelde, somos todos rebeldes. Portanto, essa tela se chama *O recomeço da rebeldia*. Acredito que dispense maiores explicações, vocês todos estão vendo as imagens, assim como estão vendo as fontes de inspiração ao meu lado — Laura disse em voz alta.

Mais que nunca, senti os olhares de todo o salão pesarem sobre mim, enquanto cada pessoa ali percebia o que tudo aquilo significava.

A formação inicial. As mãos de Diego e Patrícia unidas de forma discreta, mas que ao mesmo tempo saltava aos olhos. Exatamente como havia sido tudo.

A verdade é que ninguém sabia tanto quanto nós tudo o que havia por trás do nosso recomeço.

Éramos rebeldes, sim, todos nós. Rebeldes em nome de um amor que não soubemos controlar em diversos momentos. Mas o importante é que havíamos nos dado uma nova chance e, das trevas, podíamos finalmente ver a luz mais uma vez. Estávamos recomeçando, assim como a vida recomeça a cada nova manhã.

Um novo capítulo. Um novo dia. Um novo ciclo.

A obra de Laura era perfeita. Ela me abraçou e eu disse isso a ela.

Diego e Patrícia também completaram aquele abraço perfeito, sob novos aplausos de todos os presentes no salão.

Preso entre os braços de meus amigos, ri quando escutei ao longe os gritinhos entusiasmados de Beatriz ecoando:

— Essa é a minha filha. É a *minha* filha!

58
Diego

É claro que eu propus um brinde àquele momento, àquela tela. Havia champanhe na exposição, então aproveitei para declarar a todos os presentes o quanto eu amava meus amigos e o quanto aquele momento era especial para todos nós.

O melhor de tudo foi que, quando o momento passou, quando a noite acabou, nós havíamos, de fato, encontrado forças para seguir em frente.

Conforme os dias se seguiam, estávamos cada vez mais unidos, mais semelhantes ao que éramos no começo de tudo.

Algumas perguntas ainda não haviam sido respondidas, e o grande temor que perturbava meus sonhos, como um pesadelo insistente e cruel, era que, quando finalmente tivéssemos as respostas, toda aquela parede ainda frágil que tínhamos erguido durante nossa reconstrução voltasse a desmoronar.

Às vezes eu queria esquecer que houvera uma tentativa de assassinato entre nós, mas eu não podia. Matt continuava preso a uma cadeira de rodas e, assim, a verdade me atingia feito um tapa na cara diariamente.

Porém, enquanto Henry Morris continuava nos presenteando com sua ausência, algo além de tudo isso também me perturbava.

Eu fui à agência de adoção após entrar em contato com a mãe de Patrícia e pedir todos os detalhes a ela. Havia algo, mais importante que tudo, pelo que eu tinha que lutar em nome da felicidade da mulher que eu amava.

Cassie.

Eu tentara de todas as formas possíveis encontrá-la, ou ao menos saber mais detalhes de sua vida, de seus pais adotivos ou do local onde agora moravam.

Estávamos na casa de Matt em uma bela tarde de céu alaranjado e vento manso, quando chamei Patrícia a um canto do jardim onde pudéssemos conversar com tranquilidade.

Ela chegou tão linda ao meu lado, com uma expressão que eu podia ler. Havia algo em seus olhos. Alguma preocupação excessiva, apreensão, um certo nervosismo até.

Os raios de sol iluminaram seu rosto angelical quando ela olhou para o céu.

– Está um dia lindo – falou, abraçando-me.

Permiti-me ficar em silêncio por alguns instantes. Não seria fácil dar-lhe a notícia a seguir. Respirando fundo e ainda fitando o céu perfeito, comecei:

– Patel, eu tenho algo para lhe falar. Porém, você parece preocupada. Se não estiver tudo bem, podemos conversar em um momento mais adequado...

– Não – ela me interrompeu –, agora é o momento. Chegou a hora exata de muitas verdades serem reveladas.

– Do que você está falando? Você parece tão pensativa, tão confusa.

– Confusa? Não. Definitivamente não estou confusa. Eu vejo tudo com mais clareza agora, vocês verão também.

– Você poderia me explicar do que está falando?

Não sei se soei grosseiro de alguma forma, nem parecia que eu havia dito aquelas palavras até que realmente as escutei, soltas no ar. De qualquer forma, Patrícia se desvencilhou de mim e fitou-me por alguns segundos, sorrindo:

– Vai ficar tudo bem. Está tudo bem. Sabe a mensagem que eu recebi, acusando-o de ter sabotado o carro de Matt? Sabe o histórico no meu computador, tentando me incriminar? Eu sei sobre a verdade por trás de tudo. Está tudo muito claro agora.

– Este claramente não é mesmo o momento certo para eu falar sobre...

Ela segurou minha mão com força, interrompendo-me mais uma vez.

– Diego, por favor, chega de segredos. Se há algo que você queira me falar, tem que ser agora.

– É sobre a Cassandra.

– Sobre minha filha? O que você poderia ter a dizer sobre ela?

Eu não pude me segurar. Chorei compulsivamente enquanto a fitei com um misto de piedade por sua dor, a qual eu jamais poderia aplacar, mas também com culpa, muita culpa.

– Por favor, me perdoe. Eu amo você, amo você, Patel.

– Diego, você está me assustando – ela disse, se afastando um passo de mim, talvez sem nem perceber. Eu estava chorando muito alto, ela assustou-se comigo, eu também me assustaria, aquilo não era do meu feitio.

– Eu falhei com você, meu amor. Mas eu tentei, você tem que entender que eu tentei de todas as formas possíveis.

– Tentou o quê?

– Tentei encontrar a Cassie, tentei localizar sua filha pelo mundo. Fiz tudo o que eu podia nos últimos dias, em segredo, mas eu não consegui. As informações são confidenciais e os pais adotivos não deixaram rastros. Por favor, me perdoe. Eu queria devolver a Cassie a você, queria criá-la como minha filha, se assim você desejasse.

Absorvendo minhas palavras, ela voltou a se aproximar de mim e me envolveu em seus braços. Eu chorava feito uma criança.

— Diego, está tudo bem — ela disse com doçura, também chorando, pelo que pude perceber. — A Cassie está bem. Você é o pai dela de certa forma.

— Como você pode saber que ela está bem?

— Porque eu sinto, porque é assim que eu a imagino. Bem. Feliz. É assim que ela vai estar sempre na minha memória...

— Memória do que nunca aconteceu — balbuciei.

— Sim, mas nem por isso menos reais. Eu não sei como é o rosto dela, mas nos meus sonhos eu a conheço. Eu escuto o seu sorriso, e quando ela me chama de mamãe... Ela é linda, é minha filha, é minha menina, e vai ser sempre assim. Eu aprendi que na vida algumas escolhas são definitivas. Eu mesma optei por me afastar dela há dez anos, e não posso voltar atrás. Convivo todos os dias com essa escolha, mas também aprendi a fazer dela algo com que posso viver, porque sei que, longe ou perto de mim, a Cassie vai ser sempre uma linda menina, um pedacinho meu sobre a Terra.

— Eu queria que fosse diferente. Queria poder trazê-la para você — falei entre soluços.

— Eu nunca tentei encontrá-la verdadeiramente. Sei como o processo de adoção é extremamente sério e confidencial. Quando fui para o Brasil praticamente não tinha informações sobre ela, dentro de mim eu sabia que seria impossível descobrir qualquer coisa. Mas foi bom você ter feito isso. Mais que nunca, é chegado o momento de seguir em frente, e eu quero que seja com você.

Ela levou a mão ao pingente em seu pescoço.

Cassie. Marianna. Nossas meninas, que não nos pertenciam. Eram como anjos distantes.

Recobri sua mão com a minha, ao redor do pingente, afagando-lhe os dedos com carinho.

— Eu amo você — ela falou.

Não tive tempo de responder.

Ouvi passos e vozes, ao mesmo tempo que me virei sobre o gramado da casa de Matt, percebendo que já não estávamos sozinhos no jardim.

Laura vinha correndo, seguindo homens desconhecidos e... Henry Morris.

Um dos homens, que tive certeza de que se tratava de um policial, aproximou-se de nós. Eu não estava entendendo nada e fiquei ainda mais confuso quando tiraram Patrícia de mim, dizendo palavras cruéis e sem sentido a ela...

– ... você está presa pela tentativa de homicídio de Matthew Fields.

Pensei que meu coração fosse escalar o caminho até minha boca e explodir no ar.

O que estava acontecendo? Ela era a culpada?

Estavam algemando a mulher que eu amava e levando-a para longe de mim!

Eu gritei, mas outros policiais me seguraram sobre o gramado. Laura se desesperava a um canto de minha visão.

Tudo o que sei é que Patrícia virou-se em minha direção. Seu olhar... tão lindo. Pude ler as palavras que ela balbuciou:

– Vai ficar tudo bem.

59
Patricia

Mais cedo, eu enviara minha carta de confissão a Henry Morris, conforme combinara com meu próprio advogado.

Eu sabia o que estava fazendo. Não mentira para Diego, ia ficar tudo bem. Ia mesmo.

Eu podia ver tudo claramente agora. Não tinha medo da verdade, eu compreendera tudo, aceitara as razões... para *tudo*.

Eu menti algumas vezes na minha vida, todos nós mentimos, certo? Mas eu tinha plena consciência de que certas verdades eram capazes de devastar, de destruir, de ferir de uma forma incurável. Esse, talvez, fosse o caso.

Não sei como todos lidariam com a verdade do que acontecera naquela noite.

Enquanto a polícia me levava pelo jardim de Matthew, um filme passou pela minha cabeça.

O dia em que eu e Laura saímos para comemorar minha volta do Brasil e acabamos conhecendo Matthew e Diego. Tudo o que vivemos desde aquele instante no Beira-Mar estaria para sempre em minha memória de forma viva, dolorosa, mas real.

Eu amava cada um deles e respeitava as decisões que todos haviam tomado desde aquele dia.

O filme continuou rodando em minha mente, repleto de cenas alegres, assim como de cenas devastadoras. Pensei em Cassie.

Pensei se ela teria amigos, como seria quando tivesse o primeiro namorado, se ela viveria uma história tão intensa como a minha. Tantos conselhos que eu queria dar a ela, mas que permaneceriam sempre calados dentro de mim. Se sussurrados ao vento, em vão, iriam perder-se e ela jamais os ouviria.

Eu sabia que nem Diego, nem ninguém, poderia trazê-la para mim. O erro era meu, a escolha havia sido minha, e eu não cobrava a solução de ninguém no mundo, quando eu mesma era incapaz de trazer minha filha de volta.

Era uma escolha. Era sem volta. E era real.

Mas ia ficar tudo bem.

Percebi que um pequeno sorriso se abriu em minha face pensativa, quando vi Matthew surgindo em meio à confusão de policiais e aos gritos de Diego e Laura. Ele girava as rodas da cadeira, enquanto me fitava sendo presa pela tentativa de assassiná-lo.

Eu olhei dentro de seus olhos e nós compreendemos as razões um do outro.

– Pare! – ele gritou.

E o mundo ficou em silêncio.

60
Cena reescrita

Droga! – sibilei, batendo as mãos no volante, quando ouvi os pneus cantando.

Não queria chamar atenção, não queria que pudesse passar pela cabeça deles que eu havia visto.

De qualquer forma, eles não teriam certeza. Aliás, pareciam distraídos o suficiente para nem prestar atenção a som algum.

Segui em direção à estrada que me levaria de volta para casa. Pensei em ligar para Laura, mas acabei optando por deixá-la dormir em paz e dar as notícias apenas na manhã seguinte.

Patrícia não sabia que eu planejava uma visita surpresa e romântica naquela noite, nem que mudara de ideia ao ver o carro de Diego estacionado em frente ao seu prédio.

Você já notou qual cena está sendo reescrita. Sim, sou o Matthew, e agora você sabe que não fui sincero o tempo todo, desculpe. Não apenas com você: também não fui sincero com meus amigos, com o mundo, comigo mesmo. Eu me descontrolei assim que vi Patrícia e Diego se beijando na praia, e decidi seguir um plano que estava arquitetando desde o dia em que fôramos patinar no gelo.

Eu não suportaria uma traição. Teria de dar fim àquilo. Os olhares, a forma como agiam perto um do outro, eu sempre soube dos sentimentos que cultivavam.

Minha família foi desgraçada pela traição. Eu não menti quanto a isso. Minha irmã realmente se suicidara após descobrir que o marido a estava traindo. Meus pais não aguentaram, e partiram logo em seguida.

Como eu queria não ser forte! Como eu queria ter partido junto deles!

Mas algo me fez viver.

E eu já não queria isso mais uma vez.

Não tinha nada na vida se Diego e Patrícia estavam me traindo.

Pelo menos foi assim que pensei aquela noite. Muita coisa mudou, você sabe.

De qualquer forma, eu fiz uma pequena parada quando cheguei à minha cidade, vindo direto do litoral, onde vira a cena da traição.

Eu parei rapidamente na casa de Patrícia, deixei os sites que queria no histórico de seu computador.

Meu plano, desde o dia em que notei que eles se amavam e que aquilo era sem volta, que era apenas uma questão de tempo, foi que eu partiria desta vida com alguma dignidade. Ou seja, sabendo que eles não ficariam juntos.

Patrícia seria incriminada e presa por ter sabotado meu carro. Diego sofreria cada dia de sua vida por vê-la atrás das grades.

Fiz o que tinha de ser feito.

Sabotei meu próprio carro, mostrando que havia sido um crime premeditado.

Era preciso acelerar muito, para que eu não escapasse com vida.

Contudo, assim como da primeira vez em que eu desejei morrer, quando toda a minha família partiu, a vida agora me segurou mais uma vez. Por alguma razão, eu sobrevivi de novo.

A linha entre a vontade de viver e de morrer é tênue. Muito mais do que se pode supor, e ela pode romper sem aviso a qualquer momento. É preciso ser forte para deixá-la sempre intacta.

Foi preciso que eu quisesse morrer duas vezes para que eu entendesse o verdadeiro propósito de estar vivo.

Agora você sabe a verdade.

61
Matthew

Estávamos todos na sala de minha casa, *nós quatro*, Henry Morris e os policiais que ele trouxera.

Patrícia, já livre das algemas, estava nos braços de Diego.

Nos braços de Diego... como sempre deveria ter sido.

Eu entendia tantas coisas agora.

Um silêncio se seguiu à minha narrativa do que aconteceu naquela noite. Foi um silêncio tão mórbido que até os móveis de minha casa pareciam escutar com atenção.

Olhei para Laura. Ela me olhou de volta com tamanha tristeza no olhar, que nem as lágrimas poderiam expressar. Ela não estava chorando, e isso me destruiu por dentro, ela estava ainda pior.

Henry Morris foi o primeiro a quebrar o silêncioo. Por sorte ele o fez, eu já não aguentava mais os olhares.

– Apenas não entendi uma coisa. Por que você me enviou a carta de confissão?

A pergunta fora feita para Patrícia. Parecendo sair de um pensamento profundo, ela fitou-o, limpando a garganta e dizendo:

– Fui aconselhada por meu advogado. Nós sabíamos a verdade e eu tinha certeza de que Matthew não iria permitir minha prisão.

– Mas ele armou para você! – Morris disse.

– Sim, você está certo. Mas ele havia se arrependido.

– E como você pode ter certeza disso?

– Pelo fato de que os históricos do meu computador não eram uma prova definitiva! – Patrícia falou, agitando-se. – Ele teria que ter um plano maior, mas não o levou adiante. Além disso, eu conheço o Matt, eu sei que ele se arrependeu.

– Desde quando você sabe de tudo? – perguntei a ela.

– Eu já suspeitava, mas meu advogado conseguiu os depoimentos de uma vizinha, que ele interrogou recentemente, e tivemos a prova de que você esteve em minha casa naquela noite, no momento em que eu estava na praia. Eu sabia que apenas você ou a Laura poderiam ter colocado aqueles sites no meu histórico de pesquisas, e tudo fez sentido.

– Você está certa quando diz que eu tinha um plano maior – falei. – Eu havia deixado várias pistas que a incriminariam. O histórico no seu computador foi apenas a primeira. Porém, assim que entreguei aquele papel à Laura, que levaria à busca em seu computador, me arrependi. O peso do que eu estava fazendo caiu sobre mim, me dei conta de que estava paraplégico, em um hospital, e continuava a fazer besteiras.

– Então como você consertou tudo? Você nem estava falando! – Diego disse.

– O Kim me visitou naquele dia. Eu entreguei uma carta a ele, explicando tudo e pedindo que me ajudasse – eu disse, me lembrando de cada detalhe com nitidez. Tinha certeza de que nenhum deles encontrara o Kim durante a visita. – Em troca, eu mudaria de posição com ele no grupo de pesquisas. Ele agora é o chefe, eu sou apenas um dos membros de sua equipe.

– Por isso você tem trabalhado em casa? Você realmente se afastou?

Concordei com a cabeça e continuei minha narrativa:

– Ele concordou, é claro. Conseguiu acabar com todo o rastro de provas que levariam à prisão de Patrícia, exceto o histórico no computador, pois já era tarde demais. De qualquer forma, eu sabia que essa não seria uma prova conclusiva, por isso mesmo era apenas a primeira peça, que, junto das demais que eu planejara, iria levá-la à prisão.

— Que provas eram essas?

— Depoimentos comprados, fotos manipuladas, peças do meu carro dentre os pertences de Patrícia, entre outras coisas. O Kim deu fim a tudo.

— E a mensagem que você me enviou? — Patrícia perguntou, desta vez à Laura.

— Você sabia que era eu? — Laura parecia indignada.

— O Diego encontrou o celular nas suas coisas.

— Ah! — ela suspirou, rendendo-se. — Pensei que soubesse por outros meios. De qualquer forma, esse advogado que a ajudou realmente parece muito competente, ao contrário de *outro*, que apenas conseguiu algo conclusivo quando você enviou uma carta de confissão falsa a ele.

Henry Morris agitou-se, claramente incomodado com a nada sutil indireta. Laura seguiu falando:

— Foi idiota enviar aquela mensagem. Eu... eu queria que vocês não ficassem juntos, sabe? Você e o Diego. Não sabia quem havia sabotado o carro, mas pensei que fosse uma oportunidade de separá-los.

Mais um silêncio se seguiu, e desta vez fui eu que o quebrei:

— Tentativa de sabotagem do próprio carro é crime?

— Não, não é – disse Henry Morris –, você sabe disso. Porém, também sabe que deu pistas falsas à investigação e que obstruiu a verdade. Com sua confissão, somada ao fato de nenhuma morte ter ocorrido e à sua ficha limpa, conseguiremos que seu processo seja facilitado e que você cumpra a pena em liberdade, além de ter que passar por um acompanhamento psicológico. Mas iremos conversando sobre esses detalhes conforme o processo for se desenrolando.

Agradeci ao advogado e aos policiais. Laura os levou até a porta, e então, ficamos apenas *nós quatro* de novo, no mais doloroso silêncio.

As palavras de Henry Morris haviam sido certeiras, eu sabia que errara e que deveria pagar por meus erros. Entretanto, já havia pagado boa parte, não apenas por estar em uma cadeira de rodas, mas por toda a dor que essa história trouxe a mim e às pessoas que eu mais amava.

Acima de tudo, o preço maior eu senti que começaria a pagar naquele instante.

Laura me fitava com um misto de decepção e medo, que me fez sentir a pior pessoa do mundo, um verdadeiro monstro.

Pedi que Diego e Patrícia se fossem. Eu não queria continuar a conversa naquele momento.

Sem nada dizer, eles saíram.

Quando Laura voltou a me fitar, ela estava finalmente chorando.

Graças a Deus, eu era digno de algumas lágrimas novamente.

– Seu idiota – ela falou.

Então, fiz a pergunta que mais atormentava meu coração, e que poderia trazer a resposta que seria a punição mais cruel para todos os meus pecados.

– Você vai embora? Vai me deixar?

Lágrimas escorriam por sua face. Eu queria pegá-las, guardá-las para mim. Talvez fossem a última lembrança que eu teria dela.

Mas aquelas lágrimas eram exatamente como Laura. Elas escorreriam pelos meus dedos, eu não podia segurá-las e tê-las para mim.

Fiquei aguardando a resposta, pensando se ela me levaria ao inferno ou ao paraíso.

Foi aí que Laura caminhou em minha direção, me abraçou com toda a força do mundo, deu um beijo em minha testa e me olhou nos olhos, dizendo com a face banhada:

– Não. Eu não vou a lugar algum. Vou ficar bem aqui, com você.

62
Laura

– Não. Eu não vou a lugar algum. Vou ficar bem aqui, com você.

Essas foram minhas exatas palavras para o Matthew.

Não vou dizer que eu compreendia suas atitudes, mas ainda assim, eu também havia sido autodestrutiva diversas vezes em minha vida.

Ao contrário de Matt, eu fora covarde, tentara acabar com minha vida de forma dolorosa e lenta, agonizando entre meus vícios. Sem contar a vez em que a vida ficou, de fato, tão terrível que eu realmente tentara acabar com tudo. Ele sabia disso, eu contei no dia em que nos conhecemos, durante o Verdade ou Desafio no Beira-Mar.

Eu jamais poderia julgá-lo, e para dizer a verdade, não me sentia digna de julgar ninguém.

Não que eu concordasse com o que ele havia feito.

Era errado e ele iria pagar. Como todos pagamos, sempre. Mas não caberia a mim apontar nada disso.

Durante os piores momentos da minha vida eu havia sido julgada, às vezes até por minha própria família – o que me levara a uma dolorosa ruptura com aqueles que me deram a vida –, portanto, eu conhecia a dor da incompreensão. Sempre disse que não se julga a dor de ninguém, e eu não julgaria a dele.

Se possível, mais que nunca, eu estaria ao lado de Matt, enquanto ele aprendia a conviver com os resultados de seus erros.

Aliás, de nossos erros.

Todos nós erramos nessa história.

Mais que nunca, eu me senti conectada a ele. Nós compartilhávamos a dor, a incompreensão, a vontade de desaparecer. Assim como a redescoberta da vida, dos propósitos, do amor, da amizade verdadeira.

Eu olhei dentro dos seus olhos, nós dois chorávamos, mas era de alento naquele instante.

Nós nos encontramos ali, naquele olhar, como se fosse a primeira vez.

Foi maravilhoso.

Eu senti que o conhecia por completo, que não havia mais segredos entre nós e que não haveria nunca mais.

Senti como se a dor da verdade tivesse revelado a mim um Matthew novo, capaz de me compreender e aceitar acima de tudo. E, ainda assim, ele era também o velho Matt, que eu amava e conhecia, que eu queria sempre por perto.

Era um sentimento novo, mas era também um velho conhecido.

Isso fazia sentido?

Não importa!

Eu encostei meus lábios nos dele e o beijei com toda a força do meu ser.

Todas as vezes em que estive em pedaços, em que toquei o fundo do poço, em que senti que não havia mais nada de bom no mundo pra mim, apenas desgraça, tudo isso valeu a pena apenas por aquele momento.

Aquele breve instante em que eu o beijei e, assim, o encontrei pela primeira vez dentro de mim, em um lugar do meu peito que eu não sabia que lhe pertencia. Foi exatamente esse instante que fez tudo valer a pena.

Eu me perdi muito pelo caminho, mas eu o encontrei.

Encontrei o Matthew que eu amava e que queria para sempre do meu lado, mais que um amigo.

O mais importante foi que eu senti que ele me amava com a mesma intensidade, que ele me queria sempre por perto também.

Nós venceríamos tudo juntos. A paraplegia, o processo judicial pelo qual ele passaria, e qualquer outra tempestade que desabasse sobre nossa cabeça. Afinal de contas, da próxima vez que a vida aprontasse com a gente, teríamos um ao outro, portanto, seríamos indestrutíveis.

Quando afastei meus lábios dos dele, após o que pareceu uma eternidade no paraíso, percebi com o canto dos olhos que não estávamos sozinhos.

Patrícia e Diego estavam de volta à sala.

Minha amiga disse, sorrindo e ajeitando o chapéu:

— Voltamos porque eu precisava dizer ao Matt que estaremos com ele, não importa o que aconteça. Mas, quer saber? Não precisamos dizer mais nada um ao outro.

Eles correram até nós e nos abraçaram.

Nós quatro, juntos, como tinha de ser. Sempre.

Patrícia tinha razão, não havia mais nada a ser dito. Aquele abraço falou tudo, consertou tudo, fez com que tudo parecesse certo.

Fez com que tudo parecesse bem. Eu acreditei nisso.

63
Patricia

Na busca pela paz, percebi por fim que eu estivera sempre indo embora, andando no caminho contrário.

Eu afastara minha filha e, com exceção de Laura, jamais me permiti viver qualquer história intensamente ou embarcar em qualquer relacionamento – fosse uma amizade, fosse um romance – com toda a minha verdade, desde Londres, mais de uma década atrás.

Cheguei à conclusão de que, se havia alguém marchando no sentido contrário ao da felicidade, esse alguém era eu.

Mas a vida guardava muito para mim, e havia esperado apenas o momento certo de me entregar tudo. Era o Diego, minha vida, meu amor, meu tudo.

Com ele, tudo parecia fácil, parecia certo.

Eu podia, por fim, compreender por que nada dera certo até aquele instante na minha vida. Era simples.

Tudo antes dele era errado, e ao seu lado era certo, era perfeito para mim.

Ele me completava em todos os sentidos, e o fato de ele ser soropositivo não mudava nada. Eu tinha certeza de que ia viver uma vida plena, longa e feliz ao seu lado. Eu simplesmente sabia.

Finalmente todos nós respiramos aliviados com a revelação da verdade do que aconteceu na noite em que Diego me beijou na praia.

Não que eu tivesse gostado das atitudes de Matt, porém, ele também estava mudando. Matthew aceitava meu relacionamento com Diego e vivia um grande amor ao lado de Laura. Assim como eu e Diego torcíamos para que eles fossem completamente felizes juntos.

No final das contas, estávamos todos juntos, como quando esta história começou, compartilhando sentimentos tão profundos e verdadeiros, como amor, paixão, amizade e confiança.

Confiávamos uns nos outros mais uma vez, e esse era o maior tesouro em nossa relação. Sabíamos até que ponto cada um de nós podia chegar e, com o tempo, aprendemos a respeitar nossos limites.

Eu continuava com algumas manias, apesar de todas as mudanças.

Os chapéus continuavam na cabeça, sempre. E, consequentemente, boa parte do meu salário continuava a ser utilizado para adquirir novos modelos.

É, certas coisas nunca mudam.

Se bem que agora o Diego tinha o costume de comprar alguns chapéus para me presentear. Ele sabia como me agradar de todas as formas, e tinha um excelente senso de moda.

Outro fato que jamais mudaria em minha vida era o cordão de ouro pendurado em meu pescoço, com dois pingentes. Um deles era a bandeira brasileira.

Minha viagem ao Brasil não trouxe a Cassandra de volta, tampouco pistas sobre seu paradeiro, como eu havia esperado, porém me trouxe uma nova visão de mundo. Novas amizades, novos pedacinhos do mundo que eu amava e a vontade de sempre voltar.

Assim sendo, eu e o Diego combinamos de viajar para a América do Sul todos os anos, se possível mais de uma vez, para visitar sua família na Colômbia, meus amigos no Brasil, a universidade em Curitiba, onde fiz mestrado, e tantos outros lugares especiais dos quais eu não me esqueceria.

Ali vivia também Cassie, na minha memória.

Ela e Marianna continuavam representadas no segundo pingente que ficava caído sempre bem perto do meu coração. Elas estavam em casa.

Ao menos uma noite por semana eu e Laura reservávamos para a "noite das garotas".

Alguns itens eram indispensáveis nessas ocasiões.

Álcool, patê de azeitonas pretas, esmaltes, tintas para cabelo (ocasionalmente), e, claro, muita fofoca.

Nós havíamos encontrado o caminho de volta para nosso relacionamento, da forma como ele sempre fora. Ou seja, falávamos de meninos por horas a perder de vista.

Sim, eu falava de Diego, e ela falava de Matthew. Chegou o dia em que nada disso foi estranho mais. Pelo contrário, estávamos tão bem resolvidas, que passou a ser divertido, como sempre foram as noites em que eu e minha melhor amiga passávamos falando dos homens de nossas vidas.

Eu tinha plena consciência de que aquele papo de artes *versus* ciências, que rolou no dia que nos conhecêramos no Beira-Mar, era furado.

É verdade que Laura e Diego trabalhavam com artes, e que eu e Matt estávamos envolvidos com pesquisas e ciências, porém, quando se trata de amor, nada é exato. Tudo se perde e se confunde, pode até não fazer sentido a princípio, mas, quando nos permitimos viver com riscos, tudo se torna possível, e a gente acaba entendendo que o que parecia errado era exatamente o certo, e sempre fora assim.

Talvez o Matthew tenha se entregado a mim no início devido ao vazio que sentia pela perda da família. Nós combinávamos e nos compreendíamos muito bem, e um sentimento tão forte quanto a amizade havia sido confundido com amor.

Apenas *talvez*. Não sei se é possível explicar qualquer relacionamento que seja. Minha cabeça é teimosa, e tenta fazer isso às vezes, mas pode ser que eu esteja completamente errada, como estive tantas vezes em minha vida.

Não importava. Todos os nossos sentimentos estavam bem colocados agora.

Todas as vezes que eu e Diego íamos até a casa de Matthew, eu ficava com um sorriso bobo na cara, ao ver o carinho com que Laura cuidava dele.

Se aquilo não era amor, então eu não sei o que poderia ser!

Ela estava morando definitivamente na casa dele. Levara o restante dos pertences que deixara no antigo apartamento, e chamava aquela casa imensa de "lar".

O Matthew não poderia estar mais feliz com tudo aquilo.

A cadeira de rodas parecia apenas uma acompanhante para todas as novas alegrias que ele descobrira na vida. Uma verdadeira jornada de superação em todos os sentidos.

Tudo isso era lindo de ver.

A Laura continuava inspirada, conseguindo até exposições em outras cidades e em galerias maiores, vendendo peças a preços cada vez mais respeitáveis, e inclusive permitindo que a família a visitasse com certa frequência.

Contudo, nada a fazia se desfazer do fusca. Ela dizia que ele era o carro perfeito para ela, e o único de que precisava.

Eu bem que gostava daquela atitude, adorava andar de fusca azul, ainda mais se fosse para já chegar chamando atenção e atraindo olhares na balada.

Nossos cabelos estavam sempre mudando, principalmente os de Laura. Mas agora as cores – e até os cortes – eram sempre alegres e vivos, assim como nossos dias.

Nos fins de tarde, quando encerrava minhas consultas, eu gostava de passar na academia de dança e assistir ao final dos ensaios de Diego.

Alguns amigos ainda insistiam em dizer que ele era gay, mas creio que fosse mais pela brincadeira. Nosso romance era inegável e bem visível.

Eu conhecia bem o Diego e seus amigos de dança, e não me incomodava com as brincadeiras exageradas que faziam.

Eu, Laura e Matt fomos a todos os festivais em que ele se apresentou, em nossa própria cidade ou fora dela.

Não preciso dizer o quanto meu coração se acelerava, cheio de orgulho, todas as vezes que eu via o quanto ele amava o que fazia, e como fazia bem!

No final do nosso primeiro ano como namorados, eu o ajudei a realizar um grande sonho.

Após muito trabalho, conseguimos abrir uma pequena companhia de dança para crianças e jovens carentes, levando arte, alegria e bom exemplo para todos que cruzassem as portas de nossa "Academia de Artes Cassianna".

O nome foi ideia do Diego.

Cassandra e Marianna.

Tudo aquilo era por elas.

Entretanto, no dia a dia enfrentávamos muitas dificuldades com o projeto, e ainda esperávamos por um milagre para ampliar nossas possibilidades de sucesso e crescimento.

A princípio, trabalhávamos em uma pequena sala. Laura havia feito uma linda decoração para nos presentear, tudo era simples, mas de bom gosto. Porém, o espaço era pequeno e apertado, e não nos permitia atender tantas crianças e jovens como desejávamos. Além disso, o número pequeno de voluntários fazia com que o número de aulas ainda fosse escasso. Diego e alguns amigos de dança se revezavam nas aulas e eu controlava a parte administrativa.

Assim como todo sonho, a "Academia de Artes Cassianna" começara pequena, simples, mas com muito amor e com muita vontade de progresso. Era um sonho, portanto, cresceria cada vez mais, na medida em que trabalhássemos para isso.

Em meio a tantos momentos de felicidade e repletos de sonhos, em um bonito fim de tarde, após eu e Diego termos finalizado nossos trabalhos, resolvemos dar uma volta no lago, em nome dos bons tempos.

Ali estava tudo.

O lago, a paisagem bucólica ao redor, os casais e os amigos sentados com os pés na água, o Beira-Mar e os diversos pubs ao redor. O cenário que nos unira.

Aquele lugar trazia paz ao meu coração.

Descalços, eu e Diego caminhamos sem pressa. Vimos o sol se pondo e a chegada triunfal da noite, que nos coroou com um tapete de brilhos estrelados, refletindo em nossos olhares, fazendo a vida parecer perfeita.

Quando nos sentamos, com os pés na água, eu olhei para Diego sem temor algum, sem pressa alguma. Eu sabia que tínhamos todo o tempo do mundo.

— Lembra quando estivemos aqui, logo após a Laura descobrir sobre nosso beijo e me agredir?

Não sei por que fiz a pergunta daquela forma.

Eu não guardava mágoas, foi apenas uma forma de situar os acontecimentos. Diego compreendeu e concordou com a cabeça. Continuei dizendo:

— Eu falei o quanto me sentia estranha por saber que a Cassie estava por aí, em qualquer canto do mundo, e como eu a sentia bem perto de mim.

— Eu lembro como se fosse hoje. Lembro-me de cada instante que vivemos juntos — ele disse, beijando minha testa.

— Essa sensação está cada vez mais forte — falei, continuando o assunto sobre minha filha. — É como se ela estivesse aqui comigo o tempo todo. Nossa conexão aumenta a cada instante e me atinge, feito um alívio para a dor que carrego por tê-la dado à adoção.

— As pessoas não precisam estar perto de nós fisicamente para que possamos senti-las e amá-las. Nós sabemos bem disso. É como se estivéssemos esperando a vida toda pelo momento em que estaríamos juntos. E, mesmo que esse momento nunca chegue com a Cassie, não é preciso. Nós podemos amá-la com ainda mais intensidade e viver em nome desse amor, sem que seja preciso tocá-la.

— Você está certo — falei, refletindo sobre suas palavras. — O amor é mesmo assim, estranho, imperfeito, mas cheio de possibilidades. Nós temos muita sorte, não temos?

Ele concordou e me beijou com suavidade.

Senti a brisa mansa, vinda do lago, agitar nossos cabelos e arrepiar nossos corpos.

Era a vida que estava nos chamando.

Diego olhou dentro dos meus olhos e eu soube que ele estava querendo me dizer algo.

Ah, aqueles olhos que me deixavam maluca!

Certa vez eu os vi como o único cordão de esperança em minha vida, como a resposta para todas as minhas preces, como a mensagem de Alguém, lá de cima, de que tudo tem o momento certo para acontecer.

E continuava sendo assim.

Aqueles olhos eram meu porto seguro, meu tudo, e um pouco mais. Eu me agarrava neles todas as manhãs, e assim sabia que seria feliz.

Eu amava o Diego mais do que as palavras jamais poderiam dizer.

— Patel... — ouvi sua voz solta no vento.

— Sim?

— Eu estive pensando muito em tudo o que vivemos. Nossa história nunca vai ter um final feliz, porque nunca vai chegar ao fim. Eu amo você além do fim. Você compreende isso?

— Compreendo — falei, um tanto hesitante –, mas você está me deixando preocupada. O que está querendo dizer?

— Quero dizer que ter você ao meu lado para sempre é apenas o início. E que nenhuma história feliz de verdade precisa esperar por um "final feliz", mas sim ser completa durante cada curva do caminho.

— Você definitivamente está me assustando, nunca o vi tão sério assim.

Ele respirou fundo e tirou os pés da água do lago, ajoelhando-se ao meu lado e, para minha surpresa, estendendo uma linda aliança diante dos meus olhos.

– Você me daria a honra de tê-la como minha esposa?

Senti uma lágrima escorrer por minha face.

Eu não esperava aquilo, naquele momento.

O Diego era cheio de surpresas. Sempre fora assim.

Ele escolhera o lugar perfeito, o cenário do nosso primeiro encontro, e um momento que não poderia ser mais propício. O melhor de tudo era que suas palavras faziam perfeito sentido.

Aquele não era nosso final feliz. Era mais uma etapa do caminho. E cada etapa seria feliz, porque estaríamos juntos.

Eu o abracei com força e o beijei. Várias vezes. Entre um beijo e outro, murmurei bem próximo ao seu ouvido:

"Sim."

Colocando a aliança em meu dedo, enquanto também derramava lágrimas de felicidade, ele disse:

– Minha promessa continua, por todos os dias de nossas vidas...

– Qual promessa? – perguntei.

– Boa noite, meu amor.

64
Diego

Mais um inverno havia chegado e com ele o meu querido Natal.

Eu e Patel passáramos os últimos meses planejando e organizando tudo para o casamento. Seria simples, mas atenderia pequenos caprichos e sonhos que sempre tivemos.

A cerimônia aconteceria dali a uma semana, na noite de Ano-Novo. Por isso mesmo, apenas as pessoas mais próximas compareceriam e dividiriam conosco aquele momento especial e tão sonhado. Até minha família viria da Colômbia, eu mal podia esperar.

Como ainda faltava uma semana, o jeito era aproveitar a festa de Natal na casa de Matthew, onde estaríamos apenas *nós quatro*, exatamente como queríamos que fosse.

Patel passou em casa para me buscar, para nos juntarmos a Matthew e Laura.

Ela estava linda, com um sobretudo vermelho e um chapéu da mesma cor. Eu não podia evitar o pensamento recorrente de como ela seria a noiva mais linda de todas.

Apenas uma semana. Acalme-se, Diego – eu repetia a mim mesmo.

Assim que chegamos à casa de Matthew, fiquei impressionado com a decoração na sala principal. Nossa artista preferida, Laura, montara uma árvore maravilhosa, que quase chegava ao teto. Havia presentes sob ela – e meu lado menino ficou inquieto, querendo saber qual deles seria para mim – e lindos enfeites pendurados nos ramos. Cada um deles havia sido feito por Laura.

Pelo que eu soube, no dia seguinte aquela decoração viajaria para ser exposta, mas fiquei feliz de saber que Laura preferira usá-la em nossa própria festa antes de mostrar aquelas maravilhosas e exclusivas peças e decorações natalinas ao mundo.

O detalhe principal ainda não estava colocado. Era uma estrela de quatro pontas, que ficaria no ramo mais alto da árvore, olhando tudo de cima. Dentro dela, havia uma foto de *nós quatro*, em um momento descontraído e feliz.

Laura disse que a estrela seria exposta daquela forma, com nossa foto, para que todos conhecessem quem vivia no coração da artista que fizera as peças.

Juntos, colocamos a estrela de quatro pontas no alto da árvore.

Eu estava emocionado com tudo aquilo.

Com o fato de passar o Natal com aquelas pessoas que eu tanto amava, após tantos desencontros e superações. Mas também por ter o privilégio de assistir à reconstrução pela qual nossa amizade passara – e como ela se fortalecera!

Nós quatro, juntos, felizes e apaixonados, éramos um verdadeiro milagre de Natal. Aliás, milagre da vida. Tínhamos muito a agradecer.

Patrícia foi até a cozinha, ajudar Laura com a comida. Eu me ofereci para ajudar, mas elas garantiram que queriam fofocar enquanto cozinhavam.

Nesse caso, optei por ficar junto de Matthew na sala, junto da lareira e das decorações especiais de nossa artista rebelde, abastecendo-nos de vinho.

Até Matthew, que costumava não gostar muito de datas comemorativas, parecia estar feliz e revigorado com o espírito natalino.

Todos nós havíamos mudado, mas o Matt era outro cara. Feliz e sorridente como eu nunca vira. Ele até achava graça de minhas piadas bobas. É, ele estava mudado mesmo.

Eu sabia que essas datas lhe traziam lembranças tristes, devido à tragédia de sua família alguns anos antes. Porém, agora ele tinha uma nova família. Nossa amizade dera um sentido novo para a vida de todos nós.

Falando em família, ele me contou que a tia entrara em contato.

Aparentemente, ela estava feliz da vida no Havaí... com o jardineiro.

É a comédia da vida real, bem na nossa cara. Eu fiquei com dor de barriga de imaginar os pombinhos planejando a "fuga perfeita", com medo de que Matthew pensasse... bem, exatamente o que ele estava pensando: os dois recomeçando a vida no Havaí, como se fossem criminosos fugitivos. Tudo era cômico, no mínimo, assim como a vida de fato deve ser. Fiquei feliz por eles, mesmo sem conhecê-los.

As meninas logo chegaram à sala. Haviam deixado a comida quase pronta, exceto alguns pratos que ainda estavam no forno.

Eu servi suas taças de vinho, e propus algo que seria perfeito para aquela noite. Exatamente como tudo começou.

Uma boa rodada de "Verdade ou Desafio Natalino"!

Afastamos os móveis e nos sentamos no chão da sala, exceto Matthew, que continuou elegante em sua cadeira de rodas. Fui o primeiro a girar uma garrafa vazia no chão.

Ela ficou posicionada de forma que Laura perguntasse à Patrícia.

– Verdade – Patel pediu.

Laura fez cara de pensativa – o que era mentira, com certeza ela já sabia o que iria perguntar.

– Aí vai! – ela disse. – Verdade: a primeira vez a gente nunca esquece?

Quase cuspi vinho no chão da sala, mas me contive, esperando pela resposta.

Eu quase podia ouvir as engrenagens do cérebro de Patrícia girando, mesclando cenas de Patrick e do romance que tinham vivido em

Londres, e que tivera como resultado a pequena Cassie, a cenas dos dias de hoje e do amor que ela vivia ao meu lado.

– Não – ela respondeu. – O que é *verdadeiro* a gente nunca esquece.

Dessa vez, quase levantei e saí pulando pela sala feito um canguru. Estava feliz por ter ganhado do "fantasma" de Patrick.

Novamente me contive, e disfarcei bebendo um grande gole de vinho.

Patrícia girou a garrafa vazia. A posição agora ficou bem interessante, era minha vez de perguntar a Matthew.

– Como adoro sua criatividade – ele falou –, vou pedir Desafio.

– Certo – falei. – Desafio para o Matthew: dançar a dança da cadeira.

Laura me deu um tapa forte no braço e falou em tom irritado:

– O quê? Você é tonto? Isso é cruel!

– De onde você tirou isso? – Patel perguntou, repreendendo-me com o olhar.

– Foi só um termo que inventei... – fui falando, mas logo nossas atenções foram desviadas para Matthew, que estava gargalhando em sua cadeira de rodas.

Confesso ter ficado até um pouco assustado, nunca o havia visto rir tanto, ao ponto de quase perder o fôlego.

– Essa foi boa – ele dizia –, muita boa.

Ufa! Mas foi boa mesmo, admito sem modéstia.

– Já que é assim... – Laura disse, levantando-se e caminhando até o som, onde colocou uma música animada em volume alto.

Quase morremos de rir com a dança improvisada e bem-humorada de Matthew na cadeira de rodas, e logo todos nos levantamos e dançamos com ele.

Mesmo desengonçado, até que ele mandava bem na dança da cadeira.

O jogo continuou, com direito a desafios malucos e novas garrafas de vinho.

Após o jantar, caímos no sono, exaustos de tanto celebrar a vida e o Natal maravilhoso que estávamos tendo.

Na manhã seguinte, acordei com a risada de Matthew, vinda da sala. Minha cabeça girava com a ressaca, mas eu queria saber o que estava acontecendo.

Ele e Laura estavam conversando perto da árvore, aguardando que eu e Patrícia acordássemos para abrir os presentes.

Fiquei desapontado ao saber que a maioria daqueles embrulhos sob a árvore era decorativa. Inclusive o maior, que eu esperava que fosse meu.

A troca de presentes foi divertida, como tudo o mais.

A cara de Patrícia ao receber o presente de Laura foi impagável.

Ela ganhara um chapéu azul.

Na verdade, teria que ser emprestado. Ela teria que devolver após o casamento. Assim, Laura assegurou que aquele fosse seu algo "azul, novo e emprestado", como as tradições matrimoniais pediam.

Criativo, pensei.

– Mas e o "algo velho"? – perguntei.

– A fita do chapéu é bem velha – Laura falou –, fui eu que coloquei.

Realmente o chapéu tinha um laço lateral, que devia ser de alguma antiga decoração de Laura.

Todos os presentes foram criativos, mas o mais enigmático de todos foi o presente que Matthew deu a mim e Patrícia. Era não apenas de Natal, mas nosso presente de casamento.

Era uma surpresa que receberíamos desde que vendássemos nossos olhos e deixássemos que ele e Laura nos levassem para um certo local.

Concordamos, claro, extremamente curiosos.

Antes, contudo, ele disse que tinha também um presente para todos e para ele mesmo.

Apreensivo com tantas surpresas vindas de Matthew, fiquei contemplando quando, segurando com força nos braços da cadeira de rodas, ele começou a levantar-se.

— O quê? Como assim? — Eu, Laura e Patrícia perguntamos ao mesmo tempo.

— Você não foi às últimas sessões de reabilitação... — ele disse à Laura.

— Você não quis que eu fosse!

— Era uma surpresa, querida — Matthew falou. Suas pernas estavam tortas e tremiam. Era perceptível que, sem o apoio, ele mal poderia se sustentar em pé, e que ainda seria difícil executar movimentos mais bruscos. Porém, era um grande avanço e a promessa de que sua recuperação era uma esperança sólida, pela qual nossos corações ansiavam com fé. — Feliz Natal — ele disse, voltando a sentar-se.

Foi com o coração cheio de alegria que Matt e Laura vendaram os meus olhos e os de Patrícia.

Fomos encaminhados para fora da casa, sentindo o frio da manhã de Natal juntar-se a nós para mais uma surpresa.

Laura nos colocou dentro do fusca azul e deu a partida.

Eu estava adorando aquilo. Mais uma vez, meu lado menino agitava-se, empolgado com a surpresa. Os olhos vendados era o toque especial.

Um tempo depois, percebi que ela estacionou o fusca, ajudou-nos a descer e, após alguns passos, ficamos parados, esperando as palavras a seguir:

— Podem tirar as vendas — Matthew disse, ao nosso lado.

Eu e Patrícia obedecemos, e mal conseguimos respirar com a visão que estava bem diante de nossos olhos.

— O que isso quer dizer? — Patrícia perguntou.

Matthew estendeu um papel para nós.

— Esta é a escritura — ele disse, referindo-se ao papel —, o prédio agora é de vocês.

Estávamos em frente à construção que muito simbolizava na minha história com Patrícia. A construção em que nos refugiamos da tempestade e dançamos pela madrugada enquanto a chuva não passava. A construção onde ela me contou sobre Cassie e onde eu contei sobre Marianna.

— A obra estava parada — Matthew explicou. — Vocês contaram detalhes suficientes de sua história para que eu soubesse o quanto esse prédio significa para vocês. Quando pensei em dar-lhes um local maior para que ampliassem a Academia de Artes Cassianna, fui atrás dos donos desta construção e fiz a oferta. Ela agora é de vocês.

— E tem mais — disse Laura —, nós queremos estar envolvidos em todo o processo. Eu e Matt decidimos que queremos fazer parte do projeto, como pudermos. Além de atender crianças e jovens em geral, eu estava pensando em fazer um programa de dança para cadeirantes. A ideia da "dança da cadeira" ontem à noite não foi tão absurda assim...

Eu e Patrícia mal podíamos acreditar. Era tudo maravilhoso demais para ser verdade.

Entramos na construção, observando suas paredes de concreto. Eu já projetava sonhos em minha mente para aquele local.

O prédio era grande, de dois andares, poderíamos ter várias salas de dança e até oferecer outras aulas de artes diversas, sob a tutoria de Laura. Era mais que um sonho.

O prédio, que guardava lembranças especiais, ainda teria muitas outras. Era como se as alegrias apenas estivessem começando em nossas vidas, dando-nos a certeza de que podíamos nos atrever a ter sonhos cada vez maiores. A ousadia de realizá-los nós já tínhamos.

Definitivamente, não era um "final feliz", nunca seria o fim.

— Vamos precisar fazer algumas adaptações, ampliar algumas salas e, claro, construir rampas — Matthew disse, apontando para a cadeira de rodas —, mas será sempre uma desculpa para passarmos mais tempo juntos.

Laura sorriu e deu um beijo nele.

Então, ela nos conduziu a um canto da sala principal, onde seria a recepção do prédio.

Havia ali uma lata de tinta verde.

— Pensei que *nós quatro* pudéssemos fazer a decoração desta sala, pintá-la de nossa própria forma, deixando-a exatamente como em nossos sonhos. Sei que hoje é Natal e que não teríamos o tempo necessário, é melhor pensarmos nisso apenas após o casamento. Contudo, para deixarmos gravado para sempre o dia de hoje, pensei em deixarmos aqui também a nossa marca, como deixamos durante a redecoração do apartamento do Diego. Dessa vez, todas as mãos terão a mesma cor, como se fôssemos um.

Mais felizes e emocionados que nunca, molhamos a palma da mão com tinta verde e, num canto da sala, onde todos que entrassem na futura Academia de Artes Cassianna pudessem ver, gravamos nossas marcas na parede.

Ficamos alguns segundos contemplando aquela imagem de nossas mãos. Não precisamos dizer nada um para o outro.

Eu soube que aquele era o momento no qual, definitivamente, pedimos perdão em silêncio por todos os erros que cometemos, por todas as vezes que machucamos uns aos outros. E cada um de nós deu o perdão, ao mesmo tempo que foi perdoado.

Aquele foi o perdão mais lindo da minha vida, o mais sincero e ao qual nenhuma palavra poderia representar.

65
Laura

Houve dias na minha vida em que eu senti tanta dor e tanto desespero que eu simplesmente queria deixar de existir.

Foram os mesmos dias em que eu me perguntei repetidas vezes por que o amor trazia apenas dor para mim. Agora era diferente.

Pela primeira vez, o amor era o sinônimo mais perfeito de felicidade.

Eu precisei passar por muitas coisas para entender e aceitar isso, mas valera a pena.

Eu também havia aprendido a expressar melhor meus sentimentos. Não apenas por meio da arte ou das tinturas e dos cortes do meu cabelo. Isso tudo continuava, mas agora não se passava um dia sem que eu dissesse ao Matt o quanto o amava e o quanto precisava dele.

Minha relação com minha família estava mais... normal.

Nunca seríamos extremamente próximos, porque éramos assim. Sempre mantivemos certa distância. Porém, não havia mais inimizades, e eu agradecia por isso ser mais um fato que trouxera paz à minha vida.

Os dias estavam passando de forma acelerada, fazendo com que o casamento de Diego e Patrícia se aproximasse.

Na noite anterior, eu e Patrícia combinamos uma "despedida de solteira".

Ela não quis fazer da forma tradicional, chamar as amigas de serviço, as colegas de escola e faculdade e familiares. Pediu que fôssemos apenas nós duas, na nossa balada preferida, com muita vodca e cerveja.

Não me opus àquela ideia. Em segredo, até preferi que fosse assim, sabia que seria muito mais divertido.

Aquela foi uma "noite das garotas" versão especial.

Quando o álcool já havia feito sua parte e a música alta da casa noturna ecoava dentro de nossa cabeça, eu abri uma roda no meio da pista de dança, dizendo a todos que estavam próximos que aquela era a última noite em que minha melhor amiga estaria solteira.

Com palmas e gritos de incentivo, fizemos com que ela se soltasse e dançasse até o chão, e atendendo a pedidos até demos um selinho.

Todos ao redor acharam aquilo tudo divertido e entraram na dança, até jogando algumas bebidas em nós – tanto sobre nossa cabeça, quanto diretamente em nossa boca. Eu me senti mais uma vez uma adolescente rebelde e desimpedida. Foi muito louco.

No meio da noite, Patrícia quis ir embora, espiar os meninos.

Eu estava com a face melecada de suor e vodca, que os caras jogaram em nós enquanto dançávamos, mas àquela hora, toparia tudo o que ela pedisse.

Tivemos que deixar o fusca azul no estacionamento. Eu iria buscá-lo na manhã seguinte. Não tinha a menor condição de dirigir naquele momento.

Chamamos um táxi e fomos até o bar onde acontecia a despedida de solteiro de Diego.

Sabíamos que estava sendo em algum bar velho e sujo, onde eles jogaram sinuca um tempo atrás, e onde trabalhava um sujeito estranho, que o Diego chamava de "Bigode".

Quando chegamos, não pudemos parar de rir ao ver a espelunca.

Um segurança na porta não nos deixou entrar.

– Apenas homens são permitidos hoje, senhoritas – disse ele.

Tive certeza de que o Matthew contratou aquele cara e pediu que ele dissesse isso. Aliás, fora o Matthew que organizara tudo, e isso era mais uma prova do quanto ele estava mudado.

– Não há *strippers* aí dentro, né? – Patrícia perguntou, tentando espiar. Eu sabia que ela proibira o Diego de levar *strippers*.

– Não, apenas uns caras bêbados, rebolando só de cueca e gravata. Garanto que não é uma cena bonita.

– A gente precisa ver isso! – falei, animada.

– Não vai rolar – o segurança falou.

– Nem se eu mostrar o meu... sutiã? – falei de forma provocativa.

– *Laura*! – Patrícia me repreendeu.

– Qual é? Falei apenas o sutiã e não os peitinhos. – O álcool realmente havia me soltado, e o segurança estava rindo com aquela situação.

Patrícia demonstrou que o mesmo acontecia com ela:

– Está bem – ela disse –, eu também mostro o sutiã.

– Vocês são malucas – o segurança disse. – Eu vou deixar que espiem a festa, mas vai ser por apenas um minuto e de forma discreta. Eles não podem nem sonhar com isso.

– Acredite, eles realmente não podem – falei, pensando no quanto Diego e Matt ficariam irritados se soubessem que havíamos quebrado as regras.

Porém, quando eu vi o que estava rolando lá dentro, tive certeza de que eles nem olhariam para o lado em que estávamos.

Estavam completamente envolvidos em uma bagunça sem sentido.

Havia vários rapazes da companhia de dança ali e até alguns colegas de Matt, como o nada agradável Kim.

O próprio Matthew estava num canto, em sua cadeira de rodas, com o rosto todo pintado, um chapéu enorme e quase chorando de rir do que Diego estava fazendo.

Um senhor pequeno e rechonchudo ao seu lado também parecia se divertir muito. Pelo tamanho do bigode em seu rosto, eu tive certeza de quem era aquele.

Direcionei, então, meu olhar para o meio do bar, seguindo os demais olhares, e tive que me segurar para não gargalhar ali mesmo e acabar atraindo a atenção de alguém.

Diego, mais solto que nunca, realmente estava quase como o segurança relatara. Exceto que não vestia cueca alguma, estava literalmente só de gravata.

Ele dançava sobre uma mesa, enquanto virava uma garrafa de cerveja.

Patrícia e eu saímos correndo.

O segurança não poderia nos seguir, e realmente não estávamos a fim de mostrar o sutiã para ninguém.

Corremos noite afora, parando para rir em cada esquina ao lembrar-nos da cena ridícula que acabáramos de ver.

Chegamos na minha casa e de Matt (amei dizer isso dessa maneira!) quando o sol começava a projetar seus raios, desmaiamos em minha cama, e quando finalmente acordamos, foi com o barulho insistente do interfone.

Era a mãe de Patrícia, que viera de outro estado para o casamento da filha. Tínhamos muito a fazer.

O grande dia havia chegado.

O dia foi, de fato, longo. Mas um dos melhores da minha vida.

Eu e a mãe de Patrícia passamos o tempo todo recebendo os enfeites, o bolo, supervisionando a decoração e todos os demais detalhes, para que a cerimônia fosse perfeita.

Seria no gramado, ao redor do lago onde encontramos os meninos pela primeira vez.

Eu sei, não podia haver lugar mais perfeito.

No fim da tarde, fomos para o apartamento de Patrícia, ajudá-la a se vestir e se maquiar.

Claro que eu jamais permitiria que qualquer outra pessoa fizesse sua maquiagem ou arrumasse seu cabelo naquele dia.

Eu, a madrinha e melhor amiga, queria total liberdade para torná-la a noiva mais linda do mundo, com minha liberdade artística.

E mais uma vez, eu arrasei!

O vestido de Patrícia era tão lindo que sua mãe chorou assim que a viu. Era branco, com mangas longas – devido ao frio que fazia lá fora –, recoberto por pérolas e rendas, e com uma cauda de mais de um metro.

Fiz uma maquiagem que, ao mesmo tempo que era suave, destacava cada traço forte de seu rosto. Os cabelos permiti que continuassem como ela queria: loiros e com mechas rosas; aproveitei apenas para aumentar o número delas. Penteei tudo para a lateral, deixando um dos ombros recobertos pelos fios e o outro completamente à mostra.

Sobre sua cabeça, coloquei o chapéu azul – que eu emprestara à noiva –, jogado de lado também. O visual ficou simplesmente perfeito, o Diego ia pirar.

Antes de voltar para o lago, fiquei uns instantes sozinha com Patrícia. Eu a abracei com força, tomando cuidado para não amassar o vestido ou bagunçar o penteado.

– Você está linda – falei –, estou tão feliz por você.

– Obrigada por fazer tudo isso. Você tornou esse dia mais especial. Eu amo você, Laura.

– Amo você – falei, dando um beijo na testa da minha amiga, e saindo, antes que mais palavras pudessem nos levar às lágrimas, e estragassem a maquiagem perfeita.

Cheguei ao lago, que já estava pronto para o início da cerimônia desde aquela tarde, a tempo de receber meus pais.

Mamãe, como sempre, estava eufórica por fazer parte daquele momento, e quase tive que pedir para ela se conter. Mas, como era um dia especial, deixei que continuasse com a empolgação.

Logo em seguida, chegaram os familiares de Diego.

Os pais e todos os irmãos haviam vindo, além da tia, uma prima e a avó materna. Ou seja, todos que viviam com ele quando menino.

Eu nunca havia conhecido ninguém de sua família, então foi uma ótima oportunidade. Todos eram tão alegres e gentis que eu logo soube de onde viera o jeito brincalhão de Diego.

Quando os poucos convidados estavam posicionados, o juiz chegou. Dei sinal para que os músicos começassem a tocar, e a cerimônia se iniciou.

Era isso!

Respirei profundamente, sentindo que estava nervosa. Aquele momento era mágico e especial para todos nós, era quase como se eu fosse a noiva.

Por um instante, vendo Diego entrar sorridente e elegante, cruzando o corredor improvisado sobre o gramado, pensei em como seria quando fosse a minha vez.

Eu tinha sonhos de me casar com o Matt.

Ainda não havíamos conversado muito sobre isso, mas eu desejei de todo o meu coração que nos próximos meses estivesse organizando a minha própria cerimônia.

Com certeza seria assim. Ao lado dele, e junto de meus amigos, eu sabia que todos os meus sonhos se realizariam.

Após a entrada de Diego, era a minha vez e de Matt, já que éramos os padrinhos.

Esta foi mais uma surpresinha que guardamos para todos: Matthew cruzou o corredor *andando*.

Na verdade, auxiliado por um andador e por mim. Ele não conseguia executar os passos com perfeição nem se manter em pé por muito tempo – ao fim do corredor, permaneceria sentado ao lado do noivo o tempo todo.

Porém, Liah, a fisioterapeuta, e ele haviam se esforçado muito para que aquele momento fosse real, para que ele pudesse entrar no casamento dos amigos sem uma cadeira de rodas.

A esperança – e a certeza – que todos nós tínhamos era que Matt recuperaria ao menos parcialmente os movimentos da cintura para baixo, e com o tempo poderia dar passos com mais precisão e sustentar-se em pé por mais tempo.

Ele era tão esforçado e dedicado, que eu me enchia de orgulho todos os dias, e tinha certeza de que ele conseguiria.

Derramei uma lágrima ao cruzar, lentamente, passo após passo, o corredor junto dele. Matthew estava mais feliz que nunca.

Não fui a única a não conter as lágrimas. Lá na frente, Diego também as derramava, entre um belo sorriso.

Havíamos aprendido a chorar nos momentos certos! Tantas antigas fraquezas que costumávamos ter eram como virtudes agora.

A cada passo lento, eu sentia que podia ficar ali para sempre, ao lado de Matt. Não havia pressa, todos os presentes admiravam sua força e conquista.

Eu dei um beijo nele, assim que completamos o trajeto. Mais que nunca eu sabia que ficar bem era uma escolha.

Trazida por um motorista que Matt contratou – ok, era o mesmo segurança que ele contratara para a despedida de solteiro de Diego e que, por sorte, não cobrou a dívida da noiva, pedindo para que ela mostrasse o sutiã –, Patrícia chegou ao lago em meu fusca azul. Exatamente como ela havia sonhado.

Sua descida do carro foi triunfal, e eu tive que conter uma risada ao ver que o chapéu que ela usava combinava com meu carro.

Por sorte, devo ter sido a única a reparar naquele detalhe. Todos soltaram exclamações, aprovando o quanto ela estava linda.

Talvez eu distribuísse uns cartões depois da cerimônia, oferecendo meus serviços de maquiadora e cabeleireira.

Não. Pensando bem, aquilo era apenas um *hobby* e um serviço ao qual poucos teriam acesso.

Faltava pouco para a meia-noite quando ela cruzou o corredor sobre o gramado. Nós estávamos congelando, mas não podia haver dia mais lindo e momento mais especial que aquele.

Eram os últimos minutos do ano. Todos os erros ficariam para trás.

Eu vi o amor refletido nos olhos dela, em cada passo que ela deu aproximando-se de Diego e sorrindo. E vi também o amor nos olhos de Diego, à sua espera, pronto para cumprir todas as juras que eles fariam naquele altar.

Não havia dúvidas do quanto seriam felizes, e eu mal podia esperar para acompanhar essa nova etapa da vida deles, meus amigos.

Exatamente à meia-noite, eles disseram "sim" um ao outro.

Ao longe, fogos de artifício encheram nossos olhos, vindos de diversos locais da cidade.

Um novo ano se iniciava. Tudo seria novo, exceto o amor, que já era nosso velho conhecido.

Diego beijou Patrícia, diante de todos os presentes, com os fogos colorindo o céu sobre o lago e tornando aquele um momento que ficaria na memória de todos nós, principalmente de *nós quatro*.

Epílogo

NÓS QUATRO E O AMOR

MATTHEW

Alguns meses se passaram desde a linda noite em que Diego e Patrícia se casaram. Olhando para trás eu vejo como cada passo de nossa jornada foi necessário para que nos tornássemos o que somos agora. Até as mentiras, as dores e as tristezas vieram nos momentos certos. Não que eu me orgulhe de certos erros que cometi; pelo contrário, carregarei certas culpas até o fim, mas eu perdoei a mim mesmo, e isso me faz seguir em frente, ter me aceitado em meio a tantas imperfeições. Tem gente que simplesmente cobra muito de si. Agora eu vejo como até o errado foi certo, e agradeço por tudo. Eu não poderia estar mais feliz. Continuo progredindo nas sessões de reabilitação, e embora eu saiba que talvez não chegue a recuperar os movimentos por completo, cada pequena conquista é uma vitória enorme, que comemoro com aqueles que amo.

LAURA

Sim, já estou começando a pensar nos preparativos do meu próprio casamento. Preciso de um tempo, afinal quero fazer algumas peças exclusivas para a decoração. Nunca mais tive recaídas, e não digo isso referindo-me apenas às drogas, mas principalmente à infelicidade. Hoje tenho vontade de viver e de ser melhor a cada dia, enfrentando a vida de cabeça erguida e abrindo meu coração às pessoas que estão ao meu redor. A tela *O recomeço da rebeldia* tem feito muito sucesso, o que me traz cada vez mais oportunidades e enche meus amigos e minha família de orgulho.

Até os gritinhos entusiasmados da minha mãe, todas as vezes em que nos encontramos, se tornaram uma diversão. Quanto ao meu cabelo... bem, no momento ele está completamente roxo, mas não posso garantir quanto tempo irá permanecer dessa forma. Algumas mechinhas coloridas fazem falta às vezes. Eu não seria eu mesma sem cores e cortes excêntricos, porém, também não seria se não tivesse as cicatrizes do dia em que me cortei, buscando uma dor que amenizasse a outra.

As feridas cicatrizaram. Cada uma delas – não apenas as da pele, mas também as de dentro. E as cicatrizes que ficaram eu carrego com orgulho, pois elas sempre me lembram de que não foi fácil, mas eu venci.

Tenho trabalhado bastante na Academia de Artes Cassianna, que a cada dia recebe mais jovens interessados em artes e oportunidades. Temos conseguido atrair cada vez mais voluntários para o projeto, como minha mãe e a minha amiga Hanna, da galeria, e assim conseguimos aumentar o número de aulas oferecidas. A dança da cadeira é um sucesso, assim como outras aulas que agora estamos oferecendo, relacionadas a artes plásticas. Ainda há muito para ser feito, mas estamos conseguindo expandir o projeto e trazer calma para muitos corações. Exatamente como aconteceu comigo. Na hora certa, meu coração encontrou a paz, e eu não trocaria isso por nada no mundo.

DIEGO

A Patel está a cada dia mais radiante. Nossa lua de mel foi digna de um filme de amor, em uma ilha paradisíaca na América do Sul. Eu encontrei em Patrícia tudo o que sempre procurei na vida. Uma companheira, uma amiga, uma cura para todos os males e tristezas, um antídoto para cada problema da vida. Eu a amo da forma mais pura e intensa que se pode amar alguém – talvez até um pouquinho mais. E isso, por si só, faz com que cada minuto ao seu lado seja uma bênção. Os dias mais felizes haviam chegado, porém eu me orgulhava de dizer que nenhum de nós esperou a tempestade passar. Nós havíamos aprendido a dançar na chuva – e olha que de dança eu entendo bem.

O melhor de tudo é que, poucas semanas atrás, o processo de adoção para o qual estávamos inscritos se concluiu e adotamos uma linda menina. Sei que, de algum lugar, Marianna olha por nós, feliz com tudo o que temos conseguido ser e fazer, assim como, em algum canto do mundo, Cassie é motivo de orgulho para nós. Patrícia me ama e me aceita como sou, assim como eu também aceito tudo o que carrego. Não queria que nada fosse diferente. A vida é completa.

PATRÍCIA

Nunca pensei que minha felicidade pudesse aumentar, até que Olívia chegou em casa e nos encheu ainda mais de amor. Eu pensei em dar-lhe um nome que fosse uma homenagem à minha filha biológica, porém, a jovem que a deu à adoção a chamava assim, então respeitei sua vontade, ciente do quanto certas escolhas são para sempre. Olívia é um belo nome, assim como a linda bebê que faz a minha vida ainda mais feliz. Todos os fins de tarde eu a levo para ver o pai dançar, e então caminhamos no lago onde nos conhecemos e nos casamos. Eu quero que aquele cenário também traga lindas lembranças a ela. Eu sei bem o valor que as lembranças têm em nossa vida. Sejam as boas, sejam as ruins, elas definem nossas ações do presente e nos ajudam a continuar a jornada. Eu tenho muitas delas, das mais diversas formas, e as carrego como tesouros, com orgulho do que fiz e de como tudo isso dita quem hoje eu sou. Compartilhei muitas dessas lembranças com você, desejando que também construa as suas próprias e que tenha sempre certeza de que as tristezas passam, as dores se amenizam, os segredos se revelam, e apenas o amor fica, e se for verdadeiro (assim como o que sinto pela minha família e pelos meus amigos), ele transcende. Desejo que você também encontre esse tipo de amor, aguente as provas às quais ele o submeter e seja sempre feliz.

Sobre a autora

Fabiane Ribeiro é de São Paulo, e já viveu nos estados do Paraná e de Minas Gerais. Formada em Medicina Veterinária, nunca exerceu a profissão, pois teve seu primeiro romance, Jogando xadrez com os anjos, publicado quinze dias antes do baile de formatura na faculdade, também pela editora Universo dos Livros. Desde então, a escrita ditou um novo caminho para sua vida e para seus sonhos. Em 2014, foi viver no exterior para se dedicar aos estudos relacionados com a escrita, não apenas de livros, mas também de roteiros para cinema. Após um tempo nos Estados Unidos, vive hoje na Europa.

Para saber mais sobre seus livros já publicados, visite:

www.fabianeribeiro.com.br

TIPOGRAFIA	ADOBE GARAMOND PRO
PAPEL DE MIOLO	OFFSET 75g/m²
PAPEL DE CAPA	COUCHÊ 250g/m²
IMPRESSÃO	IMPRENSA DA FÉ